四十一番の少年

井上ひさし

文藝春秋

目次

四十一番の少年

四十一番の少年

1

長い、といってもその坂道は百米あるかなしだった。ひと息に登ればいいのに、利雄は途中で何度も立ち止まり、そのたびに汗ですっかり柔かくなったハンカチを引っ張り出し、坂の上を見あげながら顎の下を拭《ふ》いた。

この程度の坂を登るのに、何度も息を入れなければならないような年齢ではまだなかった。彼の動作には、お化け屋敷の前で入ろうか、入るのよそうかとうろうろする臆病な少年のためらいや、悪い成績表を貰ったために家の高い敷き居をどうやって越そうかとあれこれ思案している不出来な子どもの逡巡があった。つまり、利雄は坂の上が怖いのである。できるだけ何度も立ち止まって、坂の上に立つ時を先に延しているのだ。

それなら行かなければよいようなものだが、彼の耳には坂の上から十五番の少年が自分を呼んでいる声が聞えるような気がする。かつて、坂の上では、十五番に呼ばれたら、どんなことがあってもすぐに返事をし駆けつけるのが何よりも大切な心得だった。あれから二十数年経《た》った今でも、利雄の気持の底には十五番へのこの犬のような忠誠心が残っているらしく、それが彼を坂の上へ引きずりあげて行く。

坂道の右側は土砂崩れを防ぐための石とコンクリの石壁になっている。それが途中から芝生に変った。利雄は立ち止まって、右手に展《ひら》けた景色を眺めた。坂下の道が白い一本の線となってはるか彼方、S市の市街まで伸びていた。その道と、ときには平行し、ときには交差しながら、緑色のゆるやかな流れがやはり市街の方へ続いている。その緑色の帯は燕川といい、このS平野では大きい方に数えられる川である。

はじめのうち、利雄は燕川の蛇行ぶりを無心に眼で追っていたが、不意に視線をそらせ、こんどは坂の左側の松林の方へ眼を移しながら、また坂を登りはじめた。

松林の中には、二十数年前と同じように、石像の聖母マリアや聖ヨゼフが、坂道を登ってくる者に慈愛の目差《まなざ》しを向けて立っていた。利雄たちが坂の上で暮していたころは、これらの石像はまだ新しくペンキの色も鮮かだったが、いまはだいぶ色も褪《あ》せ、聖母マリアの鼻のあたりなどはペンキが剝げ落ちて、地の白色が出、聖母は鼻の先に白粉を塗りすぎた女のように見えた。

聖母の隣りに、子どもの肩にやさしく手を置いた司祭服《スータン》の神父の石像があった。台石には「ナザレト・ホーム」と彫った金属板が塡《は》めこんである。これも彼には憶えのある石像だった。仲間とこれに石を投げ、命中率を競っているのをホームの修道士に見つけられ、まる一日、食事差止めの罰を受けたことがあったが、この石像の神父はナザレト・ホームを経営しているナザレト修道会の創始者だから、これは叱られて当然だった。

石像の傍を通り過ぎると、もう坂の上は近い。坂の上を仰ぐと、蒼空を背景にして、ぽつんと棒の先のようなものが利雄の目に写った。咄嗟《とっさ》には、その棒の先のようなものが何かわからなかった。だが、登るにつれて、その下の部分が顕《あらわ》れてきた。水平線の彼方から近づいて来る船が、まず、マストの先から見えてくるのと同じ理屈である。棒の先のようなものは十字架だった。更に登るとその十字架が尖塔の上に立てられていることが判り、そして、また登ると、その尖塔の下に御聖堂《おみどう》が見えてきた。利雄はようやく、坂の上に立った。

坂下では、そよともそよがなかった風が、そこでは、たったいま冷蔵庫から取り出しましたとでもいうようなひんやりした風となってふんだんにそよいでいた。

利雄はポロシャツの前を摘《つま》んで涼風を呼び込みながら、坂の上一帯を眺め廻して、思わず、

「変っちまったなぁ」

と呟いた。

二十数年前、御聖堂の左手には木造平屋の建物があって、そこに五十名の養護児童が

住んでいたのだが、それがいまや跡形もなく、二階建のコンクリートに変ってしまっていた。

御聖堂の右手には、かつてグラウンドがあり、グラウンド越しにこのホームの建つ丘を抱くようにして流れている燕川が見えたものだったが、いまは左手の建物と同じ設計の鉄筋コンクリートの建物が建っていて、それに遮られて見えなくなってしまっていた。それにあの頃はこの丘全体にもっと樹木が多かったはずだ。だから、坂の上に立つと、木々の間に木造の建物が散在していて、この丘一帯がカナダあたりの山の中の開拓村か、スイスの林間学校という感じがしたものだが、いまはどうも違う。

かつて、グラウンドだったところあたりから、地面はゆるやかな勾配を保ちながら下り坂になって行く。そのあたりから松の木が多くなり、松の疎林の中のだらだらの坂道を下《お》りれば、やがて燕川の岸に行きつくはずである。

利雄は手で真夏の午後の日射《ひざ》しを避けながら、松林の中を覗き込むような眼になった。薄緑の松林の間に、黒トタンの屋根が見えた。坂の上で、この風景だけは昔と変っていない。黒トタンの屋根の下は木造の平屋である。

「……木工場だ」

利雄の胸が熱くなった。このホームへ来たての半年ばかり、彼はその木工場の隅をベニヤ板で囲っただけの俄《にわ》か造りの部屋で寝起きしていた。その部屋は鋸屑《おがくず》の天下で、べニヤ板の隙間に幾重にも新聞紙を貼っておくのだが、いったいどこから入ってくるのか、床や机や寝台に鋸屑がいつも初雪のようにうっすらと降り積っていた。やがて鋸屑は下着にまでも忍び込み、着る前に自分でも嫌になるぐらいしつこくぱたぱたはたくのに、それでもいつも肌がちくちくと痒《かゆ》く、これにはだいぶ悩まされた記憶がある。

木工場については、もうひとつ寂しい思い出がある。

それは、風の強い夜になると必ず聞えてきた、こーんこーんという物音で、彼の耳の底にまだはっきりと焼き付いて残っている。松林の松毬《まつかさ》が風で振り落されトタン屋根に落ちるときにじつに硬い音がするのだ。はじめのひとつふたつはそう気にはならないのだが、ひとたび意識すると、その音は数を増すごとに轟くような大音になった。

利雄にはそれが面会にやってきた母の足音のようにも、またホームの公教要理の時間で習ったばかりの悪魔の跫音《あしおと》のようにも思われ、鋸屑の匂いのする木造寝台の上で、そのたびに寝返りを打った。

「橋本君！……橋本君じゃないですか？」

御聖堂の左手の建物の窓から、四十五、六の小柄な修道士が利雄に声を掛けた。縁《ふち》なし眼鏡の奥で目を丸く見張っている。

利雄はひと目見て、それが桑原修道士だとわかった。利雄たちがホームに居たころは、桑原もまだ修道志願士で、よく一緒に野球をやったものだった。

「そうです、橋本ですよ、桑原先生」

「やっぱりね」

桑原は何度も頷《うなず》き、

「じつはさっきからずっと君を見てたんですがね、まさかと思って、なかなか声を掛けられないでいたんです。さ、どうぞ、どうぞ」

と、玄関を指した。

玄関で靴紐をほどきながら、こんなはずではなかったのに、と彼は思った。ホームに上りこむつもりはなかったはずだ。S市に仕事で来たついでに、三年暮したこの丘のあたりをひと廻りしてみようと気まぐれに思いついて、ふらりと出かけて来ただけではなかったのか。ホームでの生活には辛いことが多すぎた。いまさらそれを思い出したくはなかった。今の生活も結構辛いのだ。その上、辛かった過去を引っ張り出して何になろう。辛さが二倍三倍に殖えるだけではないか。ちらりと丘の上を眺め、ああ、おれもむかしここに居たことがあったっけ、と他愛のない感傷に浸ることが出来ればそれで充分で、いわばこれは及び腰の感傷小旅行のつもりだった。しかし、十五番の声や昔の顔が、利雄の及び腰を簡単に吹き飛ばしてしまった。

事務室のドアを開けながら、利雄は、事務室に入って行くのではない、これからおれは過去へ入って行こうとしているのだ、と自分に言い聞かせた。

「しばらくですねぇ」

桑原は利雄の手を握りしめ、それから、椅子をすすめた。

「何年ぶりですか?」

「ここを出て以来はじめて来たのですから、二十一、二年ぶりぐらいになりますか
……」

桑原は赤と白の縦縞のポロシャツにジーパンの利雄を舐《な》め廻すように見て、

「お仕事は?」

と、訊いた。

「テレビ局です。フィルム番組を作っているんですがね」

テレビ局と聞いて桑原は利雄の若造《わかづく》りに納得が行ったらしく、はじめて椅子に腰を下した。部屋の隅でコトコトと小型の扇風機が廻っていた。あとは物音ひとつしない。

「静かですね。子どもたちはどうしたんです?」

利雄が訊いた。

「みんな夏休みで帰省しています。収容児童は百名をちょっと越しますがね、いまホームに残っているのは二名だけですよ」

利雄はおやと思った。利雄たちが居た頃は、休暇が始まっても帰る家のある者は僅かで、大部分がホームにごろごろしながら海水浴キャンプの始まるのを待っていたものだ

った。

「変りましたからねぇ、なにもかも」

利雄のおやという驚きを見て取ったのか、桑原が説明をはじめた。

「むかしは両親のいない子どもが圧倒的に多かった。ところが、今では孤児は珍しい。まず、一番よくあるのは、そうですね、たとえば、こういうケースの子どもですかな。病気や事故や蒸発などで父親が死亡するか、居なくなるかする、母親は孤軍奮闘必死で働く、そのうちに母親に男が出来る、あるいは、母親が第二の結婚をする、すると、その新しい男、または新しい父親が母親の連れ子を煙たがる、または虐待する、そこで、子どもが弾《はじ》き出されてここへ収容される羽目に立ち至る。しかし、母親は心の中で犠牲になった子どもたちにすまないと思っているのでしょうね、せめて夏休みぐらいは可愛がってやりたいと引き取って行く……」

説明に耳を貸しながら、利雄は桑原修道士の背後の壁をぼんやりと眺めていた。壁にはカトリックの聖人たちの御絵《ごえ》や教会暦《ごよみ》などが鋲《びょう》でとめてあった。

「……つまり、昔はここへ来なければ飢え死してしまうという切羽つまった事情の子どもが大多数だった。ところが、今は、親たちから邪魔者扱いされてやってくる子どもが多いのですね。つまり、それだけ世の中が平和になったのでしょう」

桑原の能弁にすこしうんざりしはじめていた利雄は、教会暦の横に目を移した。

そこには新聞紙大の薄板が三枚並べて掛けてあった。薄板の上には、英単語カードほどの大きさの木札がぶら下っている。ざっとみたところ、木札の数は五、六百はあろうか。

「……こうも言えます。昔はここ以外に行きどころのない子どもばかりだった。だからみんなここを大切にした。ですから、ここにはホームというにふさわしい一蓮托生の雰囲気があった。ところが今は、母親は引き取る気なら引き取れるのですから、子どもたちもここを最後の拠《よ》り所とは思わない、いわば仮の宿ですよ。仮の宿にホーム意識など生れるはずはありませんね。その証拠に、今いる子どもは何もやろうとはしません。ハーモニカ・バンドも壁新聞もコーラスも、むかしあったものはみんななくなってしまいましたよ」

桑原の言葉をよそに、利雄の注意はただ木札に記してある番号と姓名に集められていた。

木札の番号は一番から始って五百七十九番まで続いている。はーん、これはこのホーム創立以来今日までの収容児童の洗濯番号だな、と利雄は思った。利雄は四十一番を探した。四十一番の木札には「橋本利雄」と書いてあった。(やはりそうだ、これは洗濯番号一覧表だ)

二十何年か前、このホームへやって来たとき、何よりも先に利雄が教わったことは、

「あなたの洗濯番号は四十一番です」

と、いうことと、

「このホームでは毎週水曜が入浴日ですが、そのときに汚れた下着を、風呂場備え付けの大籠の中に入れなさい。次の週の火曜に下着は綺麗になって返ってきます。ただし、下着の一枚一枚にあなたの洗濯番号を記入しておかないと、大切な下着が迷子になってしまいますよ」

ということの二つだった。

ホームでの生活に慣れるにつれて、利雄は洗濯番号がほかのところでもさかんに使われていることを知った。弁当箱、書物、鞄、下駄、靴、寝具、食器、机などは勿論、果ては鉛筆や消ゴムにまで、子どもたちは番号を記入した。ある子どもなどは自分のお腹にまで、事務室に備え付けてある特別製の墨で自分の洗濯番号を記入したぐらいだった。こうしておけば決して自分は迷子にならないからね、と、その子がにこにこして言っていたのを利雄は今でも憶えている。

この洗濯番号はまたホームの中での序列にもなった。収容順に番号を貰うわけだから、番号の少い方が、多少、年齢が下でも、番号の数の多い方に先輩面《づら》をした。

子どもたちをいくつかの組に分けるときもこの洗濯番号は有効だった。たとえば、一番から九番までがAチーム、十番から十八番までがBチーム、というふうに簡単に組分けができるのだ。

利雄はまた木札の上に視線を戻した。そして口の中で、一番から順に懐かしい氏名を読んでいった。

一番、横山勝利。たしか戦災孤児だった。上野からS駅に流れて来、駅前で靴磨きをしているところをホームの外人修道士に見つけられ、ホームに連れてこられたといっていた。春になると決まってホームを脱走した。

二番、石山一郎。やはり両親がいなかった。秀才で美少年だったが、米兵に貰われて行った。もっとも半年ほどでホームへ帰されてきた。半年の間にひどくいじけた感じの子になっていた。米兵の稚子《おもちゃ》にされたという噂だった。

三番、橋川謙司。利雄と同じ年で、泣き虫だった。よく寝小便をして修道士に叱られていた。だが歌が上手で、御聖堂の聖歌隊の花形ボーイソプラノだった。近所の信者の女の子に人気があってずいぶんもてた。そのたびに利雄たちが寝小便たれであることを女の子たちに告げ口した。

四番、伊藤明。だれとも口をきかなかった。或る冬のはじめの朝、霜焼で脹《は》れた足の指をすーっと剃刀の刃で切って、黒い血を絞っていたのを利雄は目撃したことがある。黒い血を絞り出せば霜焼が治ると信じているらしかった。とにかく無気味な子だった。

五番、飯塚正敏。六番、飯塚文敏。兄弟だった。ラジオの「尋ね人の時間」で母親が見つかり、利雄と入れ違いにホームを出ていった。

七番、海老塚《えびづか》昇。野球が上手な子で、ホームの主戦投手だった。三年間、利雄とバッテリーを組んでいたが、調子がよい時は、阪急ブレーブスの天保投手の真似をして、野球帽をあみだにかぶった。

八番、矢田部一。たしか「闇屋」というあだながついていたはずだ。ホームの衣料倉庫から盗み出したアメリカ衣料をマットレスの中に隠しておき、ほとぼりのさめたころ坂下の商店街で売り捌《さば》いているのを見つかって修道士に叱られていたことがあった。

九番、福富芳男。岡晴夫の声色が上手だった。

十番、千葉清。背が高い子で、名一塁手だった。川上哲治を尊敬していて、ホームのバットを一本残らず赤ペンキで塗ってしまった。

十一番、船山雄一。映画狂だった。外人修道士にも映画狂がいて、よく利雄たちをS市の封切館まで洋画を観に連れて行ってくれたが、ただし、この修道士は入場料はびた一文払わなかった。「可哀相な孤児に愛の手を」とか「とかく悪の道へ走りがちな孤児たちを名画の力によって完全に更生させたいのです」とか、泣き落しをかけて押し入るのだった。この十一番の少年は、その手で観せてもらった「若草物語」にひどく感動し、エリザベス・テイラーの熱烈なファンになった。彼はその外人修道士と合作でエリザベス・テイラーにファンレターを書いたが、返事はこなかった。

十二番、金子陽治。文学少年で、「ナザレト・ホームの歌」の作詞者だった。それはたしかこういう歌だった。「光の丘の青い屋根／とんがり帽子の十字架塔／ベルが鳴りますジリジリジン／みんみん蟬もないてます／おお、わが友よ、がんばろう／光の丘で生き抜こう」

前半が少々「鐘の鳴る丘」の主題歌に似ているけれども、それでもこれはいい歌だったな、と利雄は思う。

今でも夜明け近い酒場でふと酔いがさめかかり、見廻すとカウンターの奥でバーテンが船などを漕いでいたり、店の中ではついさっきまで大声で喚《わめ》いていた酔客が妙にいまは鎮まりかえってグラスを凝《じ》っと眺めていたりすると、背中を冷たい風が吹いて行く気配がして、なんとなく寂しくなるのだが、そういうときの利雄は知らないうちに「……おお、わが友よ、がんばろう、光の丘で生き抜こう」と小声で呟いていて、自分でも驚くことがある。

十三番、安斎宏。空襲で死んだ父と母がそれぞれ洋服仕立業と和裁業だったといっていた。この子もそのせいかどうか、裁縫が上手で、たいていの縫い物はみな彼が引き受けてくれた。

十四番、浜田克己。生き物ならなんでも好きだった。いつか、ベッドの中に青大将を持ち込んでハーモニカを吹いていたことがあった。「なにをしているんだい？」とこわごわ訊くとこの十四番の少年は「インドの蛇使いのようになりたいんだ」と答えた。夏は燕川に鯰《なまず》の置き針を仕掛けるのを日課にしていた。鯰のかわりにときどき白い水蛇が針を呑んでいた。

十五番、松尾昌吉……。

不意に利雄の視線が動かなくなった。次から次へと並ぶ懐かしい名前に思わず緩んでいた表情が一気に凍りついた。薄い木札が利雄には昌吉の薄い唇のように見えた。あの薄い唇から吐き出される言葉に利雄たちは恐怖したり、絶望したり、かすかな希望を見つけたりしたものだった。ホームでの運命は、昌吉のあの薄い唇から出る言葉次第だった。

「どうしたんです?」

利雄の様子が急におかしくなったことに気付いた桑原修道士が、説明を中断して声を掛けた。

彼はそれには答えず、こんどは昌吉の薄い手を思い浮かべた。

薄くて鞭のように撓《しな》った手。あの手は鞭よりもなによりも恐しかった。それからまた、夏の嵐の夜更、泣き声を封じるためにあの子の口と鼻を力まかせに塞《ふさ》いでいたのもあの薄い手だった。そして、あの手が結局は昌吉自身の首をも締め上げてしまった。

「十五番、松尾昌吉。……あいつは死んだ」

呟きながら利雄はべそをかき、それから、懐かしさと恐しさと後めたさが絡みあった歪んだ表情になっていった。

2

利雄がナザレト・ホームへ来たのは、昭和二十四年の春のことで、木工場を取り巻く松林の中に、十本ばかり混った桜がちょうどほころびかけようとしているところだった。松の緑と桜の蕾《つぼみ》の色が微妙に溶《と》けあっていて、ずいぶん美しいところだなと感心したことを憶えている。利雄を隣りの県の小都市からS市郊外のこのホームまで、ステーションワゴンの荷台に乗せて送り届けてくれたのは、その小都市の教会の主任神父である。主任神父はカナダ人だった。

そもそもが、定員いっぱいでこれ以上は児童を収容できないというのに、利雄の家庭の窮状を見かねて、強引にホームへ押し込んでくれたのもこの神父だった。ホームの外人修道士たちもみんなカナダ人で神父とは懇意の間柄だったから、そんな無理も通ったのだろう。利雄はこの神父に感謝しなければならない。

神父から利雄を引き継いだ院長は、ダニエルというみごとな白髪の老修士だった。前庭の地面に置いたボロ行李の上に腰をおろし、神父のステーションワゴンが坂をゆっくり降りて行くのを見送っていた利雄に、院長が達者な日本語で言った。

「昼の食事まで、まだ三十分あります。あなたのベッドへ案内しましょう」

自分のベッドは木造の本館の中に用意されているものとばかり思い込んでいた利雄は、行李を引き摺りながら本館の方へ歩きかけた。すると院長は、

「そちらじゃありません。あなたのベッドは木工場の中です」

と言い、行李の端を持ち上げた。

木工場は間口が四間ほどもあるかなり大きな建物だった。工作機械が五、六台、並んでおり、その奥にベニヤ板で仕切った一劃があった。ベニヤ板の壁の真中にドアがある。院長は、そのドアをこつこつと軽くふたつ叩いた。

「開《あ》けてください。新入生ですよ」

すぐにドアが開いた。ドアを開けてくれたのは、背の高い細面の少年で、眼が剃刀ですっと切ったように細かった。少年はその細い目でちらりと利雄を見た。針《ピン》のように鋭い視線だった。この一瞥《いちべつ》で利雄はすっかり気押されてしまい、針《ピン》を刺された蝶のような気分になった。

これが昌吉とはじめて顔を合せたときの彼の気持だったが、この気持は最後の時まで変らなかった。利雄はおしまいまで、昌吉のために針《ピン》でとめられた蝶だった。

「昌吉君、利雄君にこのホームのことをいろいろ教えてあげてください」

院長はそう言い残して木工場から出て行った。

昌吉は部屋の中に戻った。ベニヤ仕切の中は八畳間ほどの広さで、一方がガラス窓になっていた。窓際に机がふたつ並んでいる。窓とは反対側のベニヤ板の壁にぴったりくっつけるようにして、これまたベッドがふたつ。

昌吉は利雄をてんから無視してかかっているようだった。机の前に坐って鉛筆を構えながら藁《わら》半紙の上の数字の羅列に目を置いている。入ってもいいのか、それともこのまま戸口に立っている方がいいのか、利雄には見当がつかず、行李を縛った紐に手を掛けながら、もじもじしていた。

「いつまでそこに突っ立っているつもりだ」

突然、思いもかけない強い調子で昌吉が言った。

「入るのか、入らないのかはっきりしろ」

声にじっとりとした湿気があって、肌に一語一語がべったり貼りついてくるような感じだった。利雄は慌てて部屋の中に行李を引っ張り込んだ。そのとき、行李の隅が入口の柱に当って音をたてた。首を縮めた利雄の耳に、昌吉の舌打するのが聞えた。

「がたがたさせるな。これじゃ勉強がちっとも進みやしない」

ぽんと鉛筆を机の上に放り投げて、昌吉は利雄の方へ向き直った。

「おまえがホームへ無理矢理割り込んできたお蔭で、おれは勉強がしにくくなった。ここはおれだけの部屋だったんだ」

「……すみません」

利雄は小さくなって言った。

「でも、ぼくはここへ来るよりほかはなかったんです」

「どうしてだ？」

「母が病気なんです。結核です。母は今朝、療養所に入りました。そして、ぼくはここへ来たんです」

「お袋は療養所へ、伜は孤児院へ、右と左の泣き別れか」

「ぼくを手許に置いていたのでは、母はいつまでも療養所へ入れないのです。ですから母はぼくを……」

昌吉の立ちあがるのが見えた。それから利雄は耳許《みみもと》でぴしっという音を聞いた。すぐ、左頰に熱い痛みが襲ってきた。昌吉の身のこなしがあまりにも素早すぎ、利雄にはそれとはっきりはわからぬうちに、平手打を喰っていたのだった。

「おれは孤児だ。孤児の前で、母、母というな」

利雄はこのとき以後、何百回となく昌吉の平手打を喰ったが、これがその皮切り、最初のひとうちだった。利雄はさっそく家に帰りたくなったが、しかし、彼の家はその日の朝限りでなくなってしまっていたから、それは無理というものだった。帰りたい気持を抑えるために、利雄は行李の中から葉書をだして、母に「無事、ナザレト・ホームに着きました。ホームは丘の上にあってとても景色のよいところです。それからみなさん、親切です……。はやくよくなってください。さようなら」と書いた。

その文面をいつの間にか昌吉が覗いていた。昌吉は今度は竹の定規で利雄の左手をぴしりと打った。

「おれの前で二度とお袋に葉書なぞ書くな」

この昌吉の前で「母」という言葉は禁句なんだな、と利雄は痛む手の甲で目から滲み出した涙をこすりながら思った。

あくる日の午前、利雄は昌吉に連れられて、坂の下の駅から電車に乗り、S市へ行った。児童相談所でいろいろな検査を受けるためである。燕川の堤防に沿って蛇行しながら走る電車の中に、利雄は昌吉と進行方向に向って並んで坐った。

燕川の堤防は桜の老木の並木で、丘の上の桜よりも一足先にちらほら咲きかけていた。

「……ぼくのために勉強がまた出来なくなってほんとうにすみません」

桜並木が跡切《とぎ》れて電車がひとつ目の駅に停まったとき、利雄は昌吉に向っておずおずと口を開いた。それまでに何度も口をきこうと思ったのだが、昌吉が放心したように桜並木に目をやっているので遠慮をしていたのである。

「そうさ、おまえのためにまた一日つぶれるな。だが、気にすることはないよ。ホームホームの連中の世話を焼くのがおれの仕事なんだから」

肩透しを喰ったような優しい口調だった。

「ホームの連中はひとり残らずおれが児童相談所へ連れて行ったんだ」

電車がまた揺れ出した。それをよい潮に利雄が訊いた。

「高校はどこへ行っているんですか？」

「愛敬学園だ。でも、今年の春、卒業した」

利雄も来春はホームから高校へ通わせてもらうつもりだったから、S市に所在する県立、市立の高校の名前は調べてあった。だが、愛敬という高校の名は調べた中には入っていなかった。多分、利雄のまだ知らない私立の高校なのだろう。

「じゃあ、今、勉強しているのは大学を受けるためですね？」

昌吉は頷いた。

「どこを受ける予定なんですか？」

質問攻めにすることによって友情が展けるかも知れなかった。それに利雄はそのとき、まだ中学生だったけれども、質問というものが時にはお世辞や諂《へつら》いの代用になることもすでに心得ていたのだ。

「決まってるさ、S大だよ」

昌吉はS市にある国立の綜合大学の名前を真ッ先に挙《あ》げた。が、すぐ弱気な表情になって、

「それが駄目なら、S学院大学だな」

「受かるといいな」

と、利雄は呟いた。もちろん、昌吉に聞えるように、という計算は忘れてはいなかった。

「受かったら、ホームから通うんですか？」

いきなり、昌吉の右肘《ひじ》が、利雄の左脇腹に喰い込んできた。利雄はしばらく息をとめてその痛みに耐えた。

「ホームから大学へ通えたら苦労はしないよ」

なおも鋭く右肘を利雄の脇腹に抉《こ》じ入れながら昌吉が言った。

「ホームから通えるのはせいぜい高校までなんだ」

なのになぜ昌吉はホームの仕事をして置いて貰いながら、受験勉強に熱中しているのだろう。なにかあてでもあるのだろうか。利雄はそれを疑問に思ったが、訊くのはやめた。それ以上脇腹を小突かれたくはなかったからだ。

ようやく痛みが去ったころ、電車は四つ目の駅に停まった。そこが終点のS駅だった。

国鉄と相互乗り入れになっていて賑やかだった。広く長い地下道を改札口の方へ進みながら、利雄は巨鯨《きょげい》の胃袋の中を歩いているような気分になっていた。

駅前の広場には十数台の輪タクがたむろしていた。利雄の見ている前で黒人兵と派手な服装の女たちのカップルが次々と輪タクに乗り込んで行った。

黒い兵隊たちは女たちの腰に太い腕を廻していた。生れて始めて黒人というものを見たので、利雄はその逞しい腕に金色の毛が生えているのに驚いて棒立ちになった。女たちは腰を支えているその腕が擽《くすぐ》ったいらしく、ひっきりなしにけたたましい笑い声を挙げていた。黒人兵もそれに応えて笑った。そのたびに、兵隊の口許から皓《しろ》い歯がこぼれた。利雄は眩しいような気がして目を細め、なおも見つめた。中には、女の笑い声を封じようというつもりなのか、自分の口で長い間、女の口を塞いでいる兵隊もいた。横から昌吉が利雄の脛《すね》を蹴った。

「助平。早く市電に乗るんだよ」

足を引き摺《ず》りながら輪タクの間を縫い、利雄は市電の停留所の方へ行った。停留所を五つほど過ぎて市電を降りた。五階建や六階建のビルがぽつんぽつんと建っている。ビルとビルの間をバラックの商店街が繋いでいた。大変な人出だった。昌吉にはぐれまいとして歩いているうちに、利雄はいま降りた市電の停留所へはどう行けば戻れるのか、そうして、更にどう行けば駅に辿《たど》り着けるのか判らなくなってしまっていた。

「ここだ」

昌吉の突き出した顎の先に二階建の民家があり、玄関の横には「中央児童相談所」と記した看板がさがっていた。ドアを開けて中へ入ると、目の前の廊下で四、五歳ぐらいの男の子がふたり、取ッ組み合いをしているのが目に入った。更に視線を伸ばすと、その廊下の先に三つか四つ、和室が並んでいる。

横の壁に「御用の方はこのボタンを押してください」と書いた紙切れが貼ってあった。昌吉が紙切れの下のボタンを押した。廊下の両端でベルが鳴りだした。びっくりするような大きな音である。取ッ組み合いをしていた子どもは驚いて喧嘩をやめ、和室からは、一斉に子どもたちが顔を出した。

よくもこれだけの人数がこんな狭いところに、と訝《いぶか》しく思われるほど大勢いる。女の子もあり男の子もいる。年齢も幼児から中学上級生ぐらいまでじつにさまざまである。ただ落ちた頬と、黒ずんだ肌の色と、大きな眼だけが共通していた。

「三年半前、おれもここに居た」

昌吉が言った。

「みんな市内の養護施設に空員《あき》が出来るのをこうやって待っているんだ。橋本、おまえだけは神父の縁故《コネ》で入ってきた。おまえはここの連中を出し抜いたんだぜ」

利雄は下を向き小狡《こずる》いやり口で、破れズック靴や鼻緒の切れかかった下駄などの散乱する土間をただ眺めているだけだった。

やがて、汚れた白衣を着込んだ小柄な男が出てきた。額《ひたい》が抜け上り、並びの悪い前歯が煙草の脂《やに》で黒く染まっている。昌吉は男に、

「やあ、先生、御無沙汰しています」

と頭を下げ、それから利雄の背中を押して前に出した。

「こいつ、橋本利雄というんです。よろしくお願いします。ぼくは外で待っていますから」

「ちょっと待てよ、松尾……」

男は昌吉を呼びとめ、白衣のポケットから煙草を出して銜《くわ》えた。

「おまえ、大学へ行きたがっているそうじゃないか？」

男はマッチで煙草に火をつけ、その燃えさしをぽんと土間に捨てた。

「高校を出たんだから立派なもんじゃないか。その上大学っていうのはすこし高望みすぎるだろう？」

昌吉は戸に手をかけ、男に背を向けたまま、

「でも、望みぐらいは高く持たなくちゃ」

「そりゃ、ま、そうだが、あてはあるのか？」

「……ありません。でも、先生、時間はたっぷりありますからね。そのうちになにかい

い手をみつけます」

外に出た昌吉は、戸を閉めながら利雄に言った。

「一時間後に、表で待っているぞ」

利雄は二階の所長室で身体検査と簡単な知能検査を受けた。男は検査の結果を記入した紙を利雄に渡しながら、

「これをダニエルさんに渡すように」

と言い、また煙草を銜えた。

「全くダニエルさんには困ったものだよ。こっちに一言の相談もなくぽこぽこ子どもを入れてしまうんだから」

利雄は小さくなって男にお辞儀をし、大急ぎで階段を降りた。廊下で先刻の幼児のひとりがわんわん泣き叫んでいる。一時間前からの取ッ組み合いが、彼の負けに終ったのだろう。利雄はその幼児の涙に後めたさを感じた。ひょっとしたら、この子の方が自分よりも、ホームへ入る資格と権利があるのかもしれないのだ。彼は逃れるように外へ出た。

表に昌吉はいなかった。近くの商店街をぶらついてでもいるのだろうか。利雄は出来るだけ相談所から遠い場所で昌吉を待つことに決め、相談所のある横丁の出口まで出た。そうして、瞬《まばた》きもせずに、相談所の前に目を注いでいた。

しばらく待っているうちにどこかでサイレンが鳴った。もうお昼か。たしかホームを出るとき、ダニエル院長が「これ、交通費とお昼の食事代です」と、百円札を五枚、昌吉に渡したはずだ。とすると、昌吉は間もなく来るに違いない。どこかで利雄に昼食を食べさせてくれるはずだ……。

しかし、三十分が一時間になり、一時間が一時間半になっても、昌吉は姿を現わさなかった。利雄はすこしずつ不安になっていった。もしかしたら、相談所の前に立っていなかったのがいけなかったのではないのか。相談所からの幼児の泣き声を嫌って横丁の出口へ来てしまったが、戻って来た昌吉は、利雄が相談所の前に居ないのを見て、さっさとホームへ帰ってしまったのではないか。むろん、利雄は片時も相談所の前から目を離さなかったつもりだが、横丁の出口から相談所までは、二、三十メートルは充分にある。ひょっとしたら昌吉が戻って来たのを見逃してしまったのかもしれない。

だとしたらどうすればいいのか。最も簡単なのは、児童相談所の所員に交通費を借りて、ホームへ帰ることだろう。いまの利雄には、どっちが東でどっちが西かも判らないが、人に尋ねながら行けば、駅へ辿りつけるはずだ。S駅の所在さえわかればあとはたやすい。なにしろ、電鉄で四つ目の駅で降りればいいのだから。

だが、利雄には、もう一度、相談所のベルを押す勇気はなかった。相談所に収容されている子どもたちの幾十ものあの眼が怖かった。となると、残る方法はひとつだ。ナザレト・ホームまで自分の足で一歩一歩近づいて行くほかはない。

利雄は、前の日ホームの丘の上から市の方角を眺めたときのことを思い出した。ホームの坂下からS市へ道が一本伸びていたが、あの道は白く細く遥かに長かった。あれを逆に辿るのかと思うと、利雄は気が遠くなった。

「おまえ、顔の色、真ッ蒼だぞ」

背中で声がした。はッと思って振り返ると、昌吉がにやつきながら立っていた。

「ずいぶん前から、おまえのことを見ていたんだ。だいぶ考え込んでいたな？」

前の日からすでに、四回も殴られたり蹴られたり小突かれたりしているのに、利雄は昌吉の顔を見たとたん、全身の力が抜けたかと思うほどほッとした。

「どうしようかと思っていたところだったんです」

「そうだろうな」

昌吉は手にしていた紙袋から、乾パンを九個か十個ほど摑み出し、利雄に向って突き出した。

「じつはおれ、おまえのことをずーっと観察したんだ……」

乾パンを受け取っていた利雄はびっくりして訊いた。

「ずっと、ですか？」

「うん。わざとすっぽかしてみたんだ」

「ど、どうしてですか」

　昌吉は乾パンをぽんと宙に放り上げ、それの落ちてくるのを巧みに口で受け、ぱりっと嚙《か》んだ。

「決まってるさ。おれがいないとどれだけ困るか、それを判らせてやろうと思ったんだよ。どうだ、すこしは有難味がわかったか」

利雄は小さく頷いて、乾パンを嚙んだ。それは塩っぱい味がした。この日の昼食は、結局、このとき貰った乾パンの九個か十個がすべてだった。ダニエル院長が出がけに呉れた昼食代はどうなったのか、利雄には判らなかった。訊いてみようかとふと思ったが、すぐやめた。

どうせまた、蹴っ飛ばされるのがオチだ。


あくる日の朝、利雄ははじめて坂下の中学校へ行った。担任の教師は利雄をクラスの生徒に紹介してから、

「えーと、橋本君の席はどこがいいかな？」

と、教室の中をひとわたり見渡した。空席が三つ四つあった。

「よし。牧野君の隣りがいいだろう」

教師が指したのは廊下側の列の中ほどあたり、髪を長く垂らした丸顔の女の子の隣りの空席である。

ホームルームの時間のあいだ中、利雄は牧野という女の子のことを詳しく観察した。どうやら陽気な子らしい。教師の放つ冗談にはまず真ッ先に反応する。そして、よく笑う。そのたびに前歯に針金が巻きつけてあるのが見えた。それがなんの為か利雄には判らない。筆箱はだいぶ痛んでいたが革製だった。革の筆箱など見るのは生れて始めてである。利雄は、こいつ、金持の子だな、と思った。

筆箱の蓋の裏に「牧野陽子」と書いた厚紙が貼ってあった。陽子か。ぴったりの名前だな、と利雄はまた思った。筆箱の裏にもうひとつ貼りつけてあるものがあった。ボブ・ホープの写真だ。ボブ・ホープが好きだなんて妙な女の子だな、エロール・フリンかジェラール・フィリップならわかるけど、と考えているうちに、ホームルームが終った。

「橋本さんはナザレト・ホームから来たんでしょう？」

教師が出て行くのを待っていたように、陽子が訊いた。利雄を紹介するとき、教師はひとこともそれには触れなかったはずだ。

「どうして判ったのかなぁ」

「そりゃ判るわ。学期の途中に転校してくるのはたいていナザレトの子よ。普通だと、どうせ転校するなら、なるべく、学年の始めとか、学期の始めを選ぶでしょう？」

そんなものかなあ、と利雄は思った。

「橋本さんは信者？　カトリックの洗礼を受けているの？」

利雄は首を横に振った。

「うちの姉さんは信者よ。毎日曜日の朝、ナザレト・ホームの御聖堂へ出かけて行くわ。わたしもついて行くときがあるけど、あのミサとかいうのは辛いわね。長い間、坐ってなくちゃならないから足が痺《しび》れちゃう。このあいだなんか立ち上った途端、よろよろっとして尻餅をついちゃった」

言いながら陽子は思い出して笑った。利雄は彼女の前歯に巻いた針金が何のため か訊いてみようと思った。

「あ、これ、これは歯列矯正器よ」

利雄が自分の前歯を凝っと見ているのに気付いて、陽子は先廻りをした。

「わたしって歯並びが悪いでしょう」

陽子は利雄と向い合うように坐り直し、前歯を剝《む》いた。利雄はすこし驚いて腰を引いた。利雄にはべつに歯並びが悪いとは思われない。ただ、針金の巻きつけてある前歯が、そう言えば、多少、前へ突き出しているだけだった。それもたいした突き出し方じゃない。陽子は指先でその前歯をこんこんと敲《たた》いて、

「つまり、だからなの」

と、頷《うなず》いてみせた。この程度のことに金を使うのは、やはり、金があるからなのだろう。

「……きみの家の商売はなに？」

利雄が訊くと、陽子は簡単に答えた。

「新聞社よ」

「……ああ、新聞屋さんか」

「ううん、新聞社」

「そうか、新聞社に勤めているのか」

陽子が笑いながら言った。

「ちがうのよ。新聞社をやっているのよ」

利雄は、これは思った以上の大金持らしいぞ、と心の中で舌を捲いた。そして、すこし羨ましいような気がした。

学校から帰った利雄は、木工場の中の部屋に引きこもって、母親へまた葉書を書いた。

午後になると、昌吉は本館の事務室で働いている。だから気兼ねする必要はないのだ。

「……ぼくは元気です。児童相談所で知能検査をしました。ぼくの知能は普通だと判りましたから、ぜひ御安心ください。今日は市立の中学校へ行きました。この中学校はS

市でもよい方の中学校だそうですので、ぜひ御安心ください。ぼくの隣りの女の子は牧野陽子といって歯並びが悪いのですが、悪いといってもそうたいしたことはありませんから、ぜひ御安心ください。この女の子の家の商売は新聞社です。新聞社を自分の家でやっているのです。ぼくは驚きました。お母さんもぜひ驚いてください……」

ここまで書いたとき、木工場に誰か入ってくる気配がした。利雄は書きかけの葉書を、その日学校で貰ったばかりの英語の教科書「ジャック・アンド・ベティ」の頁に慌ててはさみ込んだ。

木の床の上でガチャガチャと、靴の金具の鳴る音が近づいてきた。スパイクの音だ。ドアが開いて、昌吉が顔をのぞかせた。利雄は早いとこ葉書を隠してよかった、と思った。

「おい、橋本、おまえ、野球はやれるか？」

そう訊きながら、スパイクのまま昌吉は部屋へ上った。白いユニフォームを着て、ノック・バットを構えている。ユニフォームの左胸のあたりに大きな「N」の字があった。「ナザレト・ホーム」の頭文字をとったのだろう。ストッキングと帽子は濃紺だった。

「やれます」

利雄は胸を張った。前に居た中学校で、二年のときに利雄はすでに正捕手だった。三年になってからは、母親が病気になり家計を助けなければならず、練習時間がどうしても捻《ひね》り出せないために、口惜しかったが退部したのだが。

「ポジションは何だ？」

「キャッチャーです」

「打撃の方はどうだ？」

「前の学校では五番を打ってました」

「ふん、前の学校とは大きく出たな。ちょっと来い。今、言ったことが法螺《ほら》だったら承知しないからな」

グラウンドでは、ユニフォームを着込んだ子どもたちが、輪になって準備体操をしていた。

昌吉は道具箱の中からミットを取り出して、利雄へ投げて寄越した。利雄がそれまで使っていたミットは布製でボールの当る個所に革が縫いつけてあった。だが、昌吉が投げて寄越したのはどこもかしこも全体が革製だった。掌《てのひら》に革が吸いついてくるような感じだ。利雄はすっかり嬉しくなってズック靴を脱いで裸足になり、バックネットの前で中腰になった。

「海老塚、あいつを相手に投げてみろ」

昌吉が声を掛けると、準備体操の輪の中から長身の少年が抜け出し、利雄にスナップのよくきいた球を投げ始めた。かなり球は速い。だけど球質が軽すぎる。こういうのはどんなに球速があっても恐怖感がない。利雄は軽やかに捕球し、確実に返球した。

他の子どもたちは、いつの間にか体操をやめて、利雄の動きに見とれていた。上手《うま》いな、と呟く声も聞える。利雄はすこし図にのって、ミットを構えるたびに、大声で昌吉に説明した。

「こう構えると阪神の土井垣です」

「それから左足をすこし前に出すと、巨人の内堀……」

昌吉が海老塚をマウンドから降した。

「こんどはおれが投げる。これからが本当の入団テストだ。土井垣でもいい、内堀スタイルでもいい、受けられるものなら受けてみろ」

言って昌吉は右手をグラヴで隠しながら振りかぶった。あッ、ボールを隠してる、と利雄は身構えつつ考える。ということはカーブかな、でも硬球ならとにかく軟球で握りを隠すのは変だ。不自然だ。大袈裟《げさ》すぎるぞ。

昌吉は右手を素早く後方へ引き絞《しぼ》って軀を前方に倒した。下手投げだな、と利雄は計算する。いよいよカーブらしいぞ、大きなカーブでぼくを面喰わせようっていうんだな。でも、シュートかもしれない、どっちだろう？

昌吉が投げた。利雄はあッと思った。急須の蓋のような平べったいものが、大きな弧を描きながら、すごい速さで、自分に向ってくるのだ。石だ！　逃げようとしたが遅かった。石は利雄の鳩尾《みぞおち》に喰い込んだ。棒で砂袋を叩くような音がした。

「……うっ」

鉛の塊のようなものが鳩尾から喉元へ駆けあがって来、利雄は口から糸のような涎《よだれ》を垂らした。地面に両膝をつき、うんうん唸っていると、昌吉が来て言った。

「土井垣だの、内堀だのと大口を叩くなよな。でも、石を後にそらさなかったことだけは認めてやる。辛うじて入団試験に合格だ」

その夜、昌吉が本館へ風呂に行っている留守に、利雄はまだ痛む鳩尾を押えながら、昼間の葉書にこう書き加えた。

「……それから、今日、ホームの野球チームの入団試験がありました。とてもとても厳しい試験でしたが、ぼくはなんとか合格しましたから、お母さんも、ぜひ安心して下さい。さようなら」

3

それからの二カ月、利雄は、ホームの講堂の隅にぶら下げられて毎日のように子どもたちの拳《こぶし》で叩かれていた進駐軍寄贈の拳闘用の砂袋のように、昌吉にまったくよく殴られた。

ナザレト・ホームにはハーモニカ・バンドがあった。これは団員二十名前後のかなり大がかりなもので、主旋律を奏《かな》でる第一ハーモニカ、それにオブリガートの飾りを付ける第二ハーモニカ、第一、第二の音の流れに和音で厚味を加えるコードハーモニカ、全体のリズムの進行を受け持つリズムハーモニカと、編成も本格的だった。

聖誕祭や復活祭、そしてホームの開園記念日に、孤児院の講堂でこの「ナザレト・ハーモニカ・バンド」の演奏会が開かれ、いつも、坂の下の街から聴きにくるお客で、講堂ははち切れそうになった。燕川の向岸にある進駐軍キャンプにもしばしば慰問演奏に出かけた。そのたびに、地元の新聞や全国紙の地方版は「GIと孤児の心をハーモニカが繋いだ」などという見出しの記事を載せ、一度などはFENがその実況を日本全国のGIたちに中継したぐらいだった。

それだけに外人修道士たちも、このバンドには力を注ぎ、バンドのことになると目の色を変えた。たとえば、キャンプの元ジャズマンの将校に編曲を頼んだり、S市で一番大きな楽器店からその店付属のハーモニカ音楽教室の講師に指導を依頼したり、ハーモニカの新製品が売り出されたと聞けばすぐに買い込んだり、バンドの悪口を言う者があれば即座に言われた悪口よりも数層倍ひどい大雑言を言い返したり、神様も眉をひそめかねない熱中ぶりだった。

中学生以上の収容児童は、よほどの音痴でない限り、半ば強制的にバンド員にさせられた。利雄は我流ながら器用にハーモニカを吹くことが出来たので第一ハーモニカに起用されたが、このときの利雄のハーモニカの持ち方が、昌吉の好餌になった。

「橋本、おまえ、ハーモニカの右ひだりを逆にしているな。あべこべの咥《くわ》え方をしているぞ」

ハーモニカ・バンドの練習はたいてい夜に行われた。利雄はその予習のために食堂のテーブルの上に、数字譜を並べて稽古しているところだった。

「おまえ、ハーモニカは低音部を左に、高音部を右にして咥えるってこと知らないのか？」

たしかに利雄はあべこべの持ち方、すなわち低い音の出る方を右に、高い音の出る方を左にして持っていた。しかし、小さいときからその持ち方をしてきたので、急に持ち方を変えろ、といわれても無理だった。

「なぜ、黙っているんだ？　何か言いたいことでもあるのか？」

平手打ちが来そうな雲行きだった。利雄は慌てて言った。

「そのうちにかならず直します」

「そのうちじゃ困るな。今夜の稽古までに直してもらわないと拙《まず》いぜ」

昌吉は野球チームの監督であると同時に、講師が来ないときは師範代もかねていた。だから、これは絶対的な命令だった。しかし、夜の稽古まで三時間あるかなしかだ。三時間で何年も続いてきた癖を矯正できるだろうか。右投げを一晩で左投げに直すと同じようにこれは至難の業だ。できると言ってできないとまた殴られるだろう。

「……七月四日までにかならず直します」

七月四日の合衆国独立記念日に、バンドは燕川の向岸のキャンプに招かれ、「星条旗よ、永遠なれ」や「ボタンとリボン」や「フォスター・メドレー」や、それから「いとしのクレメンタイン」などを演奏することになっていた。

「それまで待ってください」

「駄目だね」

昌吉は首を横に振り、それから、食堂で宿題をやったり、野球の雑誌を眺めたりしている子どもたちに訊いた。

「みんなは、高い方の鍵盤が左にあるピアノがあったらどうするかな？」

「楽器屋の人に来てもらって直すよ」

昌吉はにっこりして、またみんなに訊いた。

「それではもうひとつ、オーケストラにはヴァイオリンを弾《ひ》く人が何十人もいるだろう？　その何十人もの人は弓を動かすとき、ぴったり呼吸《いき》が合ってるよな？」

利雄は間に合わなかったが、そのひと月ほど前、ホームの子どもたちは、東京からS市へやって来た有名な交響楽団の演奏会に無料招待されて、市民会館の天井桟敷から、ヴァイオリン奏者たちの一致した弓の動きを眺め、すっかり感心したばかりのところだったので、みんなは一斉に頷いた。

「ひとりだけ、みんなと逆に弓を動かす人がいたらおかしいよな？」

みんなは、頭の中にこのあいだのヴァイオリン奏者たちを思い浮かべ、その中に、ひとり、あべこべに弓を動かす頓馬な男を置き、それから、笑い出した。それを見届けてから昌吉は利雄に向き直った。

「みんなだっておかしいと言っているよ」

このあたりが昌吉の巧妙なところだ。苛《いじ》める前に、多数の支持を集めておき、苛めることを正当化する。

「第一ハーモニカを吹くやつの中に、ひとりあべこべな動かし方をするのがいたら、みんなが笑われることになるんだぞ。それに、おまえは七月四日までに直すと言ったが、その前にも小さな演奏会が何回かあるんだ。橋本、おまえは、そういう小さな演奏会のお客はどうでもいいと言うのだな？」

「そ、そういうつもりじゃなかったんです」

大急ぎで打ち消したが遅かった。昌吉は利雄の額をピーンと指で弾《はじ》き、

「ちょっと木工場まで来い。教えてやる」

木工場で、利雄は正しい仕方でハーモニカを持たせられ、「星条旗よ、永遠なれ」を

吹かせられた。従来の持ち方でなら、巧く吹ける自信があったが、左右が一挙に逆になってしまったので、ひと吹きするごとに躓《つまず》き、そのたびに、顔を除いた軀中のいたるところを殴られた。ここもまた昌吉の巧妙なところなのだが、顔を殴ると腫《は》れたり脹《ふく》れたりして、修道士たちの注意を惹《ひ》くことを警戒しているのである。

このときの三時間がどんなに怖しい三時間だったかは、利雄がいまでも米国国歌を耳にすると鳥肌が立つことでもわかる。彼はだからオリンピックの陸上や水泳の放送はなるべく見ないようにしている。

また、利雄はこの三時間で右と左を一遍に逆にすることを強制されたので、それからしばらく軽症の吃《ども》りになった。そして、ハーモニカを正常な持ち方で巧く吹けるようになったころ、自然に吃りが直った。

しかし、こういう殴られ方は口惜しいがまだ納得できた。どんな些細な理由であれ、理由があって殴られるならまだいいのだ。対応策は必ず見つかる。昌吉に文句をつけられないように完璧にやればよい。いかにそれが困難なことであれ、完全にやってのければ文句をつけられることはなくなる。

しかし、昌吉の場合はまったく気紛れなのだった。そのときの雰囲気、気分で文句をつけてくる。闇夜の礫《つぶて》で、石がどこから飛んでくるのかわからない。利雄はだからどうやって昌吉に対してよいのか見当がつかなかった。といって何もしないでいると、なおひどく殴られた。そこで利雄は徹底して昌吉の機嫌をとることに決めた。

ナザレト・ホームでは、日曜日の昼食にきまって肉が出た。燕川の向岸のキャンプのカトリック信者のGIたちが、週に一回、ソーセージや、ハムや鶏を差し入れてくれていたのである。昌吉は肉が好きで、日曜の昼近くになると、にこにこしはじめる。利雄も肉は好きだったが、肉を献上することで殴られないで済むなら、安いものだと思いついた。ひもじさよりも、「舌を嚙まないようにしっかり奥歯を嚙みしめておけ」と昌吉に言われてから薄い掌が飛んでくるまでのあの怖しい時間を、利雄はこわい、と考えたのだ。

しかし、同じ肉を献上するにしても、どういうやり方がもっとも効果的なのだろうか。「たべて下さい」と差し出すのは昌吉の自尊心を傷つけるだろう、そうなったら後が怖しい。昌吉がもっとも貰いよいようなお膳立てを作るにはどうすればよいのか。さまざま考えた末、利雄はいい手を思いついた。

ホームへ来て二度目に迎えた日曜日の昼、昌吉たちとテーブルについた利雄は肉嫌いを装うことにした。

「……肉は苦手だなあ」

と利雄は肉の盛ってある皿を僅か向うへ押しやる。この僅か、というところに利雄の苦心がある。ひとテーブルについているのは六人の子ども、真中に押しやると関係のない四人に奪《と》られてしまう危険があった。それぐらいなら自分で食べる。

「……肉は好きじゃないし、慣れないせいか食べると下痢をしてしまうんだ」

呟きながら、利雄は向いの昌吉の方へ、すこしずつ、皿を押して行く。

「……だれか食べてくれると助かるんだけど」

利雄はつまり人だすけするつもりで肉を食べて欲しい、と昌吉に向っていっているのだ。

「寄越せ」

と昌吉が言う。利雄はよかった、と胸を撫でおろす。これで今夜は無事だ。だが、昌吉は利雄の肉を自分の皿に移しながら、こんな怖しいことをいった。

「だけどな、橋本。肉を貰ったことと、いまおまえが下痢してしまうと嫌なことばを言ったのとは話は別だよ。おれだって上品な方じゃないが、これから食事をいただきましょうというときに、下痢ということばを出すことはないだろう。おれはカチンと来たね。まァいい、この話はあとでゆっくりとしよう」

これで利雄はまた殴られる原因をひとつ作ったことになる。

寝室が別ならまだ殴られる機会はすくないかも知れぬ。そう思って利雄はダニエル院長に頼んでみようと腰を浮かしかけたことが何度もあった。しかし、無理矢理入れてもらったのにそんな贅沢が言えたものではなかった。それに、そういう申し出が昌吉の耳にでも入ったら大変なことになる。「おれが嫌だというんだな」とまた絡《から》まれることになるだろう。

利雄のほかにも、昌吉によく殴られる子がいる。そういう連中が団結して、一気に昌吉を叩きのめしたらどうだろう。ところが、昌吉の方も心得ていて、と言うより無意識にだろうが、反撃してくるような気概のある子には、最初から手を出さないのだった。暴力を怖がって、ひとりでいても、何人でいても、羊みたいに無気力で大人しい意気地なしを犠牲にあげる。

利雄はとうとう二カ月目に、ホームから逃げ出して、母親の許へ帰ろうと考え、こんな葉書を書いたことがある。

「お母さんの寝ているベッドの下にはどれぐらいの隙間があるのですか。ぼくが入れるぐらいの隙間があるとよいのですが。もし、隙間があったら、大急ぎで教えて下さい。そしたらぼくはそこに寝て、そこから新聞配達や学校へ通います。ホームはぼくには向いていません。さようなら」

数日してから、母親の葉書が届いた。

「いよいよ、お母さんは右の胸の骨を七本、切ることになりました。その方が早く、そして完全に治ると、療養所の先生がおっしゃるので、そう決心したのです。左の胸も少し悪いのですが、これは大気療法で治るそうですよ。

それから、お母さんが横になるのは、ベッドではなくて手術台です。手術台の下には隙間はないのです。床屋さんの椅子みたいになっていますからね。もうひとつ、療養所だってはじめはお母さんには向いていませんでした。でも、いまは向いています。だって、他に行くところがないのですから、自分を切ったり削ったりして、向くような軀にしなくては仕方がないじゃありませんか。では、手術へ行ってきます。お母さんは決して死にませんよ」

それからの利雄は、昌吉に飼われた犬のようになった。叩かれながら鼻を鳴らして慕い寄り、蹴られながら昌吉の手を舐《な》め、殴られながら尻尾を振った。

やがて、利雄は昌吉の声のわずかな変化や、表情のかすかな変りようを誰よりも早く読み取り、できるだけ少ない被害で昌吉の掌を躱《かわ》して行く術《すべ》を体得して行った。

これはずいぶん後の話だが、利雄は、ロシアの或る作家の小説を読んでいるうちにその中で、一人の老兵が非番の日に、昼食にしようと思いピロシキを買い家へ持って帰ったとき、戸口のところで、背後から誰かに「気を付け」と怒鳴られ、思わず不動の姿勢をとったはずみに、せっかくのピロシキを手から泥濘の中に取り落してしまうという挿話にぶつかって、涙を流しそうになったことがあった。

号令に無批判に馴れさせられたために泥の中にピロシキを落してしまった非番の日のその老兵を、利雄はなんだか他人とは思えなかったからである。

「利雄さんて、ずいぶん朗かなのね」

そのころのこと、隣りの牧野陽子がつくづく利雄の顔を眺めて言ったことがあったが、その朗かさはじつは作られたものだった。ホームで抑えつけられていたものが、学校で出るのである。それに学校には昌吉はいない。利雄は学校へ行くと活き活きした表情になった。

「ナザレト・ホームに松尾って子いるでしょ」

同じくそのころのこと、昼食の時間に、突然陽子がこういったことがあった。学校にいる間はつとめて忘れようとしていた名前が急に耳に飛び込んで来たので、利雄はうろたえ、御飯を喉に詰まらせた。

「どんな人……？」

「べつに、……普通だよ」

利雄は胸を敲《たた》いて、しゃっくりを殺しながら答えた。

「でも、どうして、松尾昌吉って名前を知っているんだ？」

陽子は背を丸めてあたりを憚《はばか》るようにした。

「姉さんに手紙を寄越しているのよ」

「……手紙？」

「ラブレターよ」

びっくりしてしゃっくりが引っ込んだ。

「姉さんは信者でしょう？　だから毎日曜日にナザレト・ホームの御聖堂へミサに預りに行くんだけど、そのときに渡すんだって」

利雄たちホームの子どもも、日曜日の朝のミサ出席は義務になっていた。したがって利雄は何度か陽子の姉に逢っている。信者の女性は御聖堂の中では、いつもレースの白布を頭にかぶり顔を隠すようにしていたから、利雄は陽子の姉を正面からはっきりと見たことはなかった。だから漠然とした印象しかなかったのだが、顔立ちは整っているけれども、なんとなく冷たい感じの高校生だった。眼鏡をかけていたから余計そういう感じがしたのかもしれない。とにかく妹の陽子とは全く逆のタイプのようである。

「……渡すってどうやってだろう。御聖堂の中では修道士の目が光っているから不可能だし、ミサが終ってからは、きみの姉さん、さっさと帰って行くし、どう考えてもチャンスはないな」

「それがあるの。その松尾って子はね、浩子女史の靴を憶えているらしいのよ」

「浩子女史……？」

「姉さんのこと。それでね、浩子女史が帰ろうとして靴を履《は》くと、奥に細かく畳んだ手紙が入っているんだって」

「それでどうなの、浩子女史は、きみの姉さんは何ていってる？」

陽子が大きな声で笑い出した。歯列矯正器はもう外していて、前歯は綺麗に揃ってい
る。

「あの女史にラブレター出すなんて間違いよ。そりゃァ、コチンコチンなんだから」

「すると……」

「カンカンよ」

「喜べばいいのに」

日頃の性《さが》が出て、利雄は思わず昌吉に忠義を立てた。

「姉さんはね、大学へ行こうか、それともこのまま修道院に入って童貞さんになろうか、と迷っているような人なのよ。喜ぶどころか、不潔とかいっちゃって、松尾って子の手紙を庭の隅で燃していたわ」

陽子は弁当を鞄の中に仕舞うついでに、中から細かく畳んだ紙切れを大事そうにとりだした。

「……あたしそのうちの一枚失敬して来ちゃった。読みたい？」

利雄はしばらく手が出せなかった。読めば笑ってしまうだろう。外の世界でホームのだれかを笑いものにするのは気が進まなかった。なんだか、自分の肉親を、他人の家で笑いものにするような気が、利雄にはしたのだ。

「主の平安！　ぼくには家庭がありません。だから、余計に家庭に憧れるのです。ぼく

は、聖ヨゼフのようになりたいと思っています……」

手を出さない利雄をじれったがって、陽子が小声で読みはじめた。

「……なぜ、なりたいかと言うと、聖ヨゼフは聖母マリアを愛していたばかりではなく、尊敬していたからです。ぼくも同じなのです。ぼくはあなたを尊敬しています。愛し尊敬するあなたを一生守ってあげたいのです。そんなぼくらの間に生れてくる子どもは、きっとキリストのような素晴しい赤ん坊ではないでしょうか。今日も、午後は、燕川の土手で釣をしています。ぜひ、散歩に来てください。ぼくは勇気を出して呼びとめますから。先週の日曜の午後は、先々週と同じように、午後一時から九時まで釣をしながら待っていましたが、とうとう来ませんでしたね。では再び、主の平安！

マリア牧野浩子様

ヨゼフ松尾昌吉」

そうだったのか、と、はじめて利雄には合点がいった。このところ四週ばかり、昌吉は野球練習の監督をするのを打っちゃらかして、午後になると居なくなっていた。利雄はそれでせいせいして野球に打ち込めたのだが、その間ずうっと、昌吉は燕川の土手で来る筈のない人のことを待っていたわけだ。そして、暗くなって帰ってくると、やたらに利雄に当り散らしていたが、あれは待人が来てくれなかったための鬱憤ばらしだったのだろう。

「ぼくらの間に生れて来る子どもは……だなんてずいぶん凄い文章ね。熱烈なんだわ。だれかあたしにもこういうの呉れないかなァ」

陽子は冗談を言いながら紙切れを鞄の中に戻し、それからふッと改まった表情になった。

「それでね、利雄さん、姉さんが、その松尾昌吉って子に二度と手紙を寄越さないように、利雄さんから言ってくれないかって」

「ぼくが？」

「そうよ」

「……で、でも、きみの姉さん、どうしてぼくのことを知ってるんだろ？」

「あたしが言ったの。親友がナザレト・ホームに居るわよ、って」

そういう嫌な使者には立ちたくないな、と利雄は思った。昌吉にそんなことを言ったらおそらく半殺しの目に遭うだろう。

「こんどラブレターが来たら、父に見せる、って姉さんは言ってるわ。そうなったら大変よ」

「ど、どう大変なんだい？」

「父が怒るわね。そして、きっと三田村君をその松尾って子のところへ行かせるわ」

「三田村君……？」

「父の車の運転手。空手が上手いのよ」

陽子はここで眼を宙に浮かせ、溜息でもつくように呟いた。

「ああ、その松尾って子が可哀相……。だって、よりによって姉さんみたいな、そういうことには鈍感な女の子にラブレターを出すんだもの」

「冗談じゃないよ」

思わず利雄は顔色を変えて言った。

「鈍感でもなんでも、姉さんがいるだけでもいいじゃないか」

普段おとなしい利雄にしては珍しく激しい語調だったので、陽子は驚いて顔を挙げた。

4

利雄はそれから、今までとはまた別の注意をもって、昌吉を見るようになった。乱暴な飼い主の鞭をおそれながらも、やはり、飼い主に危険が迫れば吠えたてる犬の心境になった。

そして、そういう注意で見ると、たしかに陽子の言っていた事が本当だとわかった。日曜のミサに浩子が来ていると、昌吉は途中できっと二分ほど、御聖堂から脱け出した。昌吉が戻ってきてしばらく経ってから、利雄も御聖堂の入口に行き、靴の中を手早く調べてみる。すると、女ものの靴の中のひとつに、細かく畳んだ紙切れが突っ込んであるのだった。ときには紙切れと一緒に、舶来のチョコレートやガムが入っていた。ホームでは土曜のおやつに、これも進駐軍ＧＩ有志の差入れのチョコレートやガムが出たが、昌吉はそれを浩子のためにとっておいたのだろう。

利雄は紙切れやチョコレートなどを取り出して便所に入る。そして、紙切れは破って捨て、チョコレートなどはポケットにしまった。放っておくと大ごとになりそうだったし、かといって、陽子の言いつけ通りに、昌吉に浩子の言伝《ことづ》てを伝える勇気もなかった。こうするのが、昌吉のためにも、利雄自身のためにも一番いいのではないか、そう利雄は信じ込んでいたのである。

むろん、手紙は読まずに破り捨てた。とても読む気にはなれなかったのだ。あとでこっそりと食べるチョコレートも旨くはなかった。普段の味の何倍も苦《にが》いな、と思い思いしながら、利雄はその褐色の板を噛んだ。

野球チームの練習で、利雄たちはよく、坂下の街を走った。利雄が来たころは、ホームの正面の坂を降り、降りたところで左に曲り、電鉄の駅を渡って燕川の土手に出て、土手沿いにしばらく走ってから、だらだらの坂道を上って、木工場の横を通り抜け、グラウンドに帰ってくる、これがきまりのコースだった。

ところが、最近は、ホームの坂を降りると、従来とは反対の右へ曲るのが、きまりになっている。昌吉がそう変えたのだ。ホームの坂下から右は、なだらかな斜面の高級住宅地になっていて、むろん、陽子や浩子の家もその一劃にある。昌吉は浩子の家の前を通りたかったのだろう。

しかも、ただ通るばかりではなく、昌吉はいつも浩子の家の前にある小公園に利雄たちを追い込んで、そこで体操をさせた。

小公園では、昌吉は利雄たちに優しかった。いつもの毒のある湿った口調は消えて、「やさしいお兄さん」といった感じになるのである。

陽子の話を聞くまでは、なぜ、ここでこうも変ってしまうのか、利雄には判らなかったが、今は昌吉の思いがどのへんにあるか見当がつく。昌吉は向いの浩子を意識している。優しいヨゼフを気取っているのだ。

七月四日の合衆国独立記念日の、燕川キャンプでの慰問演奏会も無事に済んだ。次の目標は夏の、S市内四カ所の養護施設対抗野球大会だというので、利雄たちは毎日のように練習に引っ張り出された。ある日の午後、例によって小公園で、利雄たちが念入りな体操をさせられていると、通りの向うで声がした。

「利雄くーん!」

声のする方へ眼をやると、陽子が二階で手を振っていた。利雄が手を振って答えると、

「いま、行くわ!」

と陽子が二階から消えた。その跡にとってかわるように、眼鏡を掛けた女の子が立った。浩子だ。利雄はこっそり昌吉の様子を窺《うかが》った。昌吉は号令をかけるのを忘れ、ひたすらな目付で二階を見ていた。やがて昌吉は野球帽を取ってぺこりとお辞儀をした。途端に、向いの二階に青簾《あおすだれ》がはらりと落ちた。簾を下したのは浩子自身だろう。

陽子がやってきた。右手にバケツを下げている。

「ぶっかき氷よ。どう？」

利雄は困って昌吉を見た。昌吉はただ驚いている。だがやがてはっと気付いて、例のやさしいお兄さん口調で、

「あ、ありがとう」

と、陽子にまた帽子をとり、

「遠慮してはかえって悪い。御馳走になろう」

バケツを受け取って、みんなに配りはじめた。

「彼ね？　松尾君ていうのは。……なかなかハンサムじゃない？」

陽子が、低い声で利雄に囁いた。

「ちょっと暗い顔をしてるけど、……浩子女史にはもったいないぐらい」

「……氷、ありがとう」

陽子は笑って、

「氷は口実よ。じつは氷をだしに、松尾君の顔を見に来たの」

空のバケツを両手で捧げるように持って、昌吉が戻ってきた。

「どうも。夏休みに、うちのグラウンドで野球大会があるんだ。応援に来て下さい」

バケツを手渡しながら昌吉が言った。陽子が頷いた。

「……あ、あのう、それで、お姉さんは野球は嫌いでしょうか？」

「さあ、どうかしら……」

「好きだったら、誘ってください」

「……でも、彼女は夏の間は、蔵王の山荘へ行ってるかもよ」

陽子は戻って行った。

「おい、利雄……」

陽子が門の内部《なか》へ姿を消すまで、じっと見送っていた昌吉が言った。

「おまえ、どうしてあの子を知っているんだ？」

利雄は氷を口から戻し、

「……同じクラスなんです」

「ずいぶん親しそうだな？」

「席が隣り同士なもんだから……」

「ほう、隣り同士か。ふーん……」

昌吉は何度も頷き、その日一日、利雄に妙に優しかった。

夜、木工場の机の上の英語の教科書に向って利雄が船を漕いでいると、本館から戻って来た昌吉が部屋に入るなり、なあ、利雄、と声を掛けた。ハイ！　と利雄は反射的に答え、昌吉を見た。昌吉は手に小さな紙袋を持っていた。

「おまえ、これを牧野陽子に渡してくれ」

「牧野陽子に……？」

「だれにも言うなよ」

「言いません！　でも、牧野君の姉さん、今度も来ないんじゃないかなぁ」

言って、利雄はしまったと思った。これでは何もかも知っています、と白状してしまったようなものだ。案の定、昌吉の薄い掌がぱぱんと利雄の両頬を往復した。

「なんでおまえ、おれと浩子さんのことを知っているんだ？　なんでいつも来ないってことまで知ってる?!」

「……そ、それは牧野君に聞いたからです。……牧野君の姉さんが牧野君に打ち明けたんだそうです」

昌吉は普段の目付きに戻った。

「おまえと牧野陽子はほんとうに仲がいいんだな。じゃあ、作戦を変えた。こうしよう。いいか、よく聞いておくんだぞ。おまえ、今度の日曜の午後、陽子を燕川の土手に誘え」

「……誘ってどうするんですか？」

「これから言う。そのとき陽子に、姉さんも一緒に来るように頼むんだ。わかるか？目印は燕川の駅から十本目の桜の木の下。午後一時に、おれとおまえは桜の木の下で待っている。すると向うから陽子と浩子さんがやってくるというわけさ。妹と一緒なら彼女も来やすいと思うんだよ」

そんなことにはとてもなるまい、と利雄は思った。陽子は頼めば来てくれるかもしれない。だが、浩子は無理だろう。無理どころか昌吉が待っていると知ったら梃子《てこ》でも動かないだろう。

「そういうことになれば、これは日曜日に、おれから直接《じか》に、浩子さんに渡した方がいいな」

そう言って昌吉は例の紙袋をベッドのマットレスの下に仕舞い込もうとしたが、ふと顔をあげて、厭な目付きで利雄にとどめを刺した。

「利雄、浩子さんがもし来なければ、おまえの責任だからな」

あくる日、学校で、利雄は陽子に、昌吉から言われた通りのことを伝えた。

「胸がわくわくするようなはなし……」

陽子は両手で胸を抱くようにして言った。

「あたしと利雄くんがキューピッドの役をするわけだわ」

「頼む。姉さんを引っ張ってきてくれたら、ぼくはなんでもするよ」

陽子は微かに表情を曇らせた。

「ベストは尽すわ。でも、浩子女史は難物中の難物だからなァ……」

「でも姉妹《きょうだい》だろう」

「姉妹は他人の始まりよ。あの女史の気持はあたしにはさっぱりわからないわ。こんなに想ってもらうなんて仕合せじゃないの、ねぇ」

「うん、松尾さんはプレゼントまで用意してるぜ」

陽子はそれを聞くと、うっとりして、また胸を抱いた。

5

日曜日が来た。朝のミサに浩子は来なかった。利雄は少し胸騒ぎがした。午後、燕川の土手に来るつもりがあるなら、ミサにも出ていいはずだった。ひょっとしたら、浩子は昌吉と顔を合せるのが芯《しん》から厭になったのではなかろうか。御聖堂から出るとき、利雄は昌吉に言った。

「……来ませんでしたね」

「おれはいい知らせだと思ってるんだ」

昌吉は珍しく明るい眼をしていた。

「つまり、浩子さんは恥かしいのさ」

昌吉は御聖堂から出ると、まっすぐ木工場に入って行き、お昼まで何回も髪に櫛を入れていた。

昼食が済むとすぐ二人は木工場の横を抜け、だらだらの坂道を通り、燕川の土手に下りた。燕川の流れは悠々としていた。端艇が二隻流れをさかのぼって行くのが見える。

「……S大の端艇部だぜ」

細い眼を一層細くして船首の校章を見ていた昌吉が言った。漕ぎ手たちの着ている白い丸首シャツが真夏の陽光を利雄たちの方へ故意に狙って反射させているようで、とても眩しかった。

「あの端艇はS市内の愛宕《あたご》橋から、ここまで漕ぎのぼって来たんだぜ」

「S市内から？　ずいぶんあるだろうなぁ」

「十二粁ぐらいあるな」

昌吉は上機嫌のようである。利雄が何を言い、何を訊いても、今日だけは、あの厭な目付きをしない。利雄は昌吉のこの上機嫌がいつまでも続くように祈った。そして、そのためにも、陽子が浩子を連れてきてくれればよいのだがと必死で念じた。昌吉と浩子の間に交際が始まってくれれば更にいい。いかに昌吉といえど、そうなったら結びの神の利雄にそう矢鱈《やたら》に暴力は振わないだろう。

ただしそうなると、気がかりなことがひとつある。それは何通かの手紙と何枚かのチョコレートとガムを、利雄が中間でストップさせたことが暴露《ばれ》るだろうということだが、しかし、これだって、過ぎて見れば笑い話だ。昌吉は許してくれるだろう。利雄はそんなことを考えながら、端艇を見送っていた。

「S大の学生歌を知ってるか？」

昌吉が利雄に訊いた。利雄は、知らない、と首を振って、やぁ、ずいぶん、S大のことに詳しいんだなぁ、と心の中で感心した。昌吉が低い声で歌いだした。

　青葉もゆるこのみちのく
　今ここにはらからわれら
　力もて歌う平和の讃歌……

きっとS大の学生歌なのだろう。利雄は昌吉の歌を聞きながら土手の上を行ったり来たりしている。利雄はズック靴の下でぷつぷつと桜の黒い実をつぶしているのである。ときどき、立ち止まって、靴の裏を見ると、靴底が黒みがかった紫に染まっている。

昌吉の歌がふッとやんだ。

「来たぞ」

利雄は目を挙げて電鉄の駅の方を見た。

「土手の上じゃない。土手の下の道だ」

利雄は土手下の道へ視線を移した。小豆色の外車が一台こっちへゆっくりと走ってくるのが見えた。しかし、そのほかに人影はない。利雄がきょろきょろしていると、昌吉がじれったそうに言った。

「車だよ、車。あの四八年型のスチュードベーカーは浩子さんの家の車だぜ」

そういえばそうだった。利雄も二、三度、後部座席に陽子の父らしいチョビ髭の紳士を乗せて、その車が陽子の家の門を出て行くのを見たことがあった。しかし、なぜ、陽子は車なんかで来たのだろう。

後部座席にはたしかに陽子の姿が見えた。だが乗っているのは陽子だけのようである……。

二人の目の下で車が停った。運転台から、白い開襟シャツと紺ズボンの男が降り、二人の方をじろっと見上げてから、素早い動作で土手を駆け上ってきた。背は低い、が肩幅は広い。太い腕の先にウィンナソーセージの様な指がくっついている。

三田村だな、と利雄は一瞬の間に覚った。青空が利雄の目の中で急に暗くなった……。

「おまえだな、ナザレトの松尾というのは……」

三田村らしい男が昌吉に言った。声までが太い。

昌吉も、どうやら様子が可笑《おか》しいと見てとったようである。引き吊った声で、そうです、と答えた。

「浩子お嬢さんは来られない。おまえ、浩子お嬢さんに渡したいというものがあるらしいな。出してみろよ」

昌吉は気押されてポケットから、いつかの紙袋を出した。男はさっと紙袋を奪った。袋を毟《むし》るように剝いた。中には水色の万年筆が一本入っていた。キャップのところに、聖ヨゼフの御絵が挟んである。男は御絵を眺め、裏を返した。

「……今日の記念のために。ヨゼフ松尾昌吉より、マリア牧野浩子様へ」

昌吉をなぶるように、男は冗談めかした調子で御絵の裏の文句を読みあげた。

「返せ、返してくれ！」

昌吉の声はかすれていた。利雄には、その水色の万年筆に見覚えがあった。このあいだの独立記念日、燕川キャンプへハーモニカ・バンドが慰問演奏に行ったが、演奏会のあとにGIたちの主催によるビンゴ大会が開かれ、そのときの一位の賞品が水色の万年筆だったのだ。

「うるさい！」

男は御絵を持った右手で、昌吉の伸ばしかけた右手をぴしりと打った。昌吉はうっと顔を歪め、打たれた手首を左手で押えた。

「松尾とかいったな？」

男は右手の万年筆を握り直し、力をこめながら言った。

「もう二度とお嬢さまのまわりをうろつくんじゃない！」

ぽきりと万年筆が右手の中で折れた。

「くそォ！……」

昌吉が男にとびかかろうとした。が、その前に男は昌吉の右腕を摑んで巧みに軀を入れかえ、昌吉の後に廻っていた。一瞬の間の身のこなしだった。逆手をとられて昌吉が苦しそうに呻いた。更に男は、今度は昌吉の髪の毛を摑み、ぐいぐいと地面に押しつけた。昌吉の額は、桜の実で紫色に染まった。昌吉の背中に膝頭を叩きつけながら、男は言った。

「いったいおまえらなんだと思ってやがるんだ。牧野家は年間一千万からの寄付をおまえらホームのために出しているんだぜ。ご主人はおまえにラブレターを書いて貰うために寄付をなすってんじゃない！」

利雄は車の中の陽子に向って叫んだ。

「牧野君！　やめさせてくれよ！　牧野君……」

「そっちの野郎もうるさいぞ！」

男は利雄の方へ眼をちらりと配った。

「……いいか、松尾、今度、お嬢さまにつきまとったら、この腕をへし折ってやるからな」

男は昌吉の腕を突き放し、ふらふらしながらひと廻りしたところを狙って、鳩尾に右の拳を突き入れた。昌吉は膝から崩れ落ち、いつかの利雄のように口から糸のような涎を垂らした。

男は御絵をくしゃくしゃに握りつぶし、昌吉の前に投げ捨ててから、土手を駆け下りた。

「……ごめんなさい、利雄くん……」

車の後の座席から、陽子が泣き声をあげた。

「父にだけは言わないでねってあれほど固く約束したのに……、浩子の馬鹿！」

男は、陽子の叫び声を両手で受けとめるようにして制しながら、運転台に戻った。彼はもう忠義ものの運転手の顔にかえっていた。

「それに、お父さんもひどい……」

陽子はそれからもなにか泣き叫んでいたが、勢いよく走り出した車のエンジン音に掻き消され、利雄の耳までは届かなかった。利雄の眼の底に、運転席の背を両手で叩きながら泣いていた陽子の顔だけが、いつまでも残っていた。

その日一日、昌吉はひとことも喋らなかった。今日こそは手ひどく痛めつけられるにちがいないと覚悟を決めていた利雄は、鳩尾を押えながら蒼い顔をしてなにか考えているだけで一向に「奥歯を噛みしめろ」などと言い出さない昌吉の態度に、逆に肩躱《すか》しを喰ったような気持を味わった。

昌吉はその夜、ひと晩じゅう机に向っていたようだった。利雄は夜中に二度か三度、目を覚したが、昌吉は同じ姿勢を崩さずになにか考え込んでいた。

「……ちきしょう！　ちきしょう！　……ちきしょう」

ぶつぶつ呟きを洩らす昌吉の背中からは、いつもの猛々しさはすっかり消え失せていた。利雄はその後姿に、自分と同じような負け犬の姿を見たような気がした。

あくる朝、利雄が目を覚したとき昌吉は机の上に突っ伏したまま眠っていた。眠っている間に、無意識のうちに払いのけたのだろう、鉛筆でぎっしりとなにか書き込んだ西洋紙が一枚、机の端にかかっていた。なんだろうと思って覗いてみると、紙の右端にやや大き目の字で「松尾昌吉のこれからの履歴書」と書いてあった。

その次の行からは、こんなようなことが続けてある。

①昭和24年8月　S駅で百万円拾う。神のお恵みと思い、警察には届けずに、ホームを出て、S市内に下宿。青葉予備校・S大進学科に通う。

②昭和25年3月　S大法学部に合格。

③　　　4月　同右に入学。
④　　　5月　牧野浩子嬢と婚約。清らかな交際。
⑤昭和29年3月　S大法学部を次席で卒業。卒業祝に浩子嬢は接吻を許してくれる。
⑥　　　8月　渡米。
⑦　　　9月　ダートマス大学法学部国際政治科に編入。
⑧昭和30年7月　浩子嬢、米国に来る。二人でハリウッドを見学。ジョン・ウェインと握手。
⑨　　　9月　浩子嬢、日本へ帰る。
⑩昭和31年7月　ダートマス大学法学部卒業。直ちに帰国。
⑪　　　8月　S市郊外ナザレト・ホーム聖堂にて、浩子嬢と挙式。S駅前青木ホテルにて披露宴。S市名士多数来会。新婚旅行は東京→京都→大阪→神戸。
⑫　　　9月　S市郊外光が丘に新居落成。
⑬昭和32年4月　岳父牧野一夫のたっての望みを入れて、S新報社へ入社。
⑭昭和33年12月　長女出生。
⑮昭和35年4月　S新報編集局次長となる。
⑯　　　12月　S新報の売り上げぐんぐん伸びる。

⑰昭和37年3月　長男出生。
⑱　　　7月　編集局長となる。
⑲昭和38年4月　妻浩子と世界一周旅行。8月に帰国。
⑳　　　10月　S新報常務取締役となる。
㉑　　　12月　次男出生。
㉒昭和39年3月　S市に野球スタジアム落成。S新報所属の新球団「セント・ヨゼフズ」日本プロ野球リーグに加盟。この年、巨人とペナントを争い、惜しくも第二位。
㉓昭和40年1月　岳父牧野一夫、脳溢血にて死す。この年「セント・ヨゼフズ」リーグ優勝。
㉔　　　4月　S新報社長に就任……

このナザレト・ホームへきて初めて、利雄は昌吉という少年を身近に感じた。そうなのだ、百万円を道で拾えばすべては解決する。百万円拾ったら、ぼくだったら真ッ直ぐに母のところへ帰るだろうな。利雄はそんなことを思いながら、昌吉の眠りを妨げないように足音を忍ばせて、部屋から出て行った。

一時間後、学校へ出かけるついでに木工場へ寄ってみた。昌吉はもう起きていて、それまで窓ガラスが一枚入っているだけで外から丸見えだった部屋に、青い敷布でカーテンを吊っていた。熱中して作業をつづける昌吉の表情はなぜかその敷布の色よりも蒼かった。

これからいよいよ本格的な夏がくるというのに、どうして急に昌吉はカーテンなどを吊る気になったのだろう。利雄は不審に思ったが、訊けばまた何かいわれそうなので、そのまま、声もかけずに学校へ行った。

その日、陽子は学校へ出て来なかった。休み時間に利雄はクラスの連中が「陽子が転校するかも知れない」と噂し合っているのを小耳にはさんだ。なんでも急に市内のS女学院の中等部へ移ることになったのだそうだ。

そういえば、いつか、陽子が利雄に、姉の浩子はS女学院の高等部へ通っているのよ、と教えてくれたことがあった。きみはどうして市立の中学校へ通っているの、と利雄が訊いたら、陽子が笑ってこう答えたものだった。

「プロテスタントのお堅い学校よ。あたしじゃとってもやっていけないわよ」

そのときの屈託のない陽子の笑い声を思い出し、ふと、利雄は隣りの空席を眺めた。陽子が泣きながら利雄の方を見ていた。はッと思って目を擦ると、陽子の姿はもうなくて、空席はやはり空席だった。

この寂しい週が終ると、長い夏の休暇が始まった。

6

そのころのナザレト・ホームの夏休みは、おおよそ次の三つの期間に区切られていた。

七月下旬までは、全員が作業に従事する。小学生は草むしり。中学生以上は木工場で机や椅子作り。作った机や椅子のうち、特に上出来なものは、それから五カ月間、さらに入念な仕上げをほどこし、クリスマスのバザーに出品されることになる。

八月上旬は、全員で海水浴キャンプに出かける。ただし、高校生や中学生で、学校の部活動に参加したいものがあれば、それは各人の自由だ。

八月中旬からは、主に野球の練習である。これは夏の終りに開催される養護施設対抗野球大会に備えるためだった。

利雄は、他の大部分の子どもたちと同じように、木工場で働いて、海へ行って、野球をして、ホームの子どもとしてはごく当り前の夏休みを過そうと考えていた。

夏休みの最初の日の朝、一台の大型トラックが三台分ぐらいの騒々しい音をあげながらホームの坂を登ってきた。それは草色の進駐軍トラックで、荷台には直径一メートルはたっぷりあろうかと思われる原木を、十数本、積んでいた。

ようやっとのことで坂を登り切ったトラックは、グラウンドを一周し、ホームの子どもたちの歓声を浴びながら木工場の前に停った。

子どもたちの歓迎ぶりに気をよくした助手台の兵隊は小銃を構え「ダルラダルラダルラダルラ……」と唇を鳴らしながら車から降りた。本当に射たれるのかと早合点して、幼ない子どもが二人、三人、わんわん泣きだした。トラックと同じ色をしたシャツの胸ポケットから、ガムをとり出し、兵隊は泣いている子をなだめにかかる……。

泣いた子が笑いはじめたころ、ジープが二台、軽々と坂を駆け上ってきた。これには日本人の要員が乗っている。さらに大鋸を積んだ小型トラックがその後を追いかけるようにやってきた。

一時間後、木工場の前に大鋸を備えつけた要員たちが、原木を挽《ひ》きにかかった。

ダニエル院長の横で作業を見つめていた昌吉が、一本の原木を指して、

「あの材木を半分、ぼくの自由にさせてくれませんか」

と頼んだ。昌吉が指したのは、中でも最も直径の大きな原木だった。ダニエル院長は、前を見たままで訊いた。

「……自由にさせてくれ、とはどういう意味ですか?」

「バザーには出せないもので作りたいものがあるんです」

「バザーに出せないもの……?」

「丸木舟です」

ダニエル院長は目を丸くして昌吉を見た。昌吉の後に立って、それまで要員たちの手際のよい仕事ぶりを感心しながら眺めていた利雄は、おや、と聞き耳を立てた。いったい昌吉は丸木舟でなにをしようというのだろう。

「利雄が海水浴キャンプへ行くかわりに、丸木舟で燕川を下って、S市の愛宕橋あたりまで行ってみたいんだそうです」

利雄はびっくりした。寝言にだってそんなことを喋った覚えはなかった。

昌吉が背後を振り返って利雄に言った。

「そうだろ、利雄？　おまえ、たしかそう言ってたろ？」

いつもの癖で利雄は反射的に頷いた。ここ一週ほど、昌吉は黙りこくって考えこむばかりで、利雄が話しかけても生返事ばかりしていた。その昌吉が急に動きはじめたようだった。

「利雄は夏休みの社会科の自由研究に、燕川を丸木舟で下る計画を立てたんです。中学の担任の先生は、ホームの許しが出るならやってみなさい、と言ってくれたそうだけど。

そうだったな、利雄？」

利雄はまた反射的に頷く。

「おもしろそうですね、利雄君。でも、危険はありませんか？」

利雄が口ごもっていると、

「大丈夫ですよ、先生。燕川はこの辺から流れがゆるやかになっているし、中洲がずいぶんあるし……」

昌吉が院長を説得しはじめた。

「それに利雄は泳ぎが達者ですから。そうだろ、利雄？」

利雄は泳ぎはたしかに上手だった。そこで、ゆっくりと大きく頷いてみせた。

「いいでしょう」

ダニエル院長も利雄に負けじと大きく頷いた。

「許しましょう。ただ、条件がひとつあります。よく聞いて下さい。危い、と思ったら、迷わずにすぐその冒険をやめること」

「よかったな、利雄。とうとう許しが出たじゃないか！」

なにがよかったのか、全く見当もつかなかったが、利雄は、じつによかった、というような顔をした。

ダニエル院長は、さっそく監督役の兵隊のところへ飛んで行った。兵隊は院長の話を聞いているうちに、手を叩いて笑い出し、例の一番太い原木にとび乗って、要員たちに、

「次ハ、コレネ。タダシ、せんたーらいんヲわん・かっとネ」

と、はしゃいだ声で指図した。

それから、兵隊は、毛むくじゃらの手を遠くから利雄に向って差しのべながら、近づいてきた。

「オウ、日本ノろびんそん・くるーそー！」

兵隊は利雄の右手を握ったまま、左手で胸ポケットを探り、千円札を一枚、つまみ出して言った。

「ぐっど・らっく！」

鋸の音が高くなった。例の原木が縦割に真ッぷたつに挽かれて行く。いつの間にか、昌吉は利雄の傍から鋸の前へ移っていて、凝ッと作業を見守っていた。

利雄には、昌吉の肩先がいつもより鋭く尖って見えた。神経をぴいんと張りつめているような感じだ。利雄は前に観たニュース映画の一場面をふと思い浮かべた。

(そうだ、十六番川上哲治の後姿がちょうどあんな感じだったぞ。あれは川上が満塁サヨナラ逆転ホームランを打ったときのフィルムだったけど、打つすぐ前の川上はあんなフォームをしていたな。あんな尖った肩先をしていたな……）

原木が縦にふたつに割れた。昌吉の肩先が丸くなった。昌吉がまた利雄の方へ戻ってきた。ダニエル院長も一緒だ。

兵隊が院長に英語で何か言った。院長はしきりに頷いていた。兵隊が話し終えるのを待っていたように院長が利雄に訊いた。

「このＧＩさんはよく考えてみると丸木舟を作るのは不可能だ、と言っています。あなたはどうやってあの大きな材木をくり抜くつもりですか？　ずいぶん時間がかかりますよ。ＧＩさんは、あなたの手では来年の夏休みに間に合うかどうかも疑問だと言っていますが、わたしも同感です」

じつは利雄も同じ意見だった。たとえ不眠不休で鑿《のみ》を振っても畳一枚もありそうな材木が十日ぐらいで丸木舟なんかになるだろうか。弱って利雄は昌吉を見た。

「ダニエル先生、大丈夫」

昌吉が言った。

「利雄はそれほど馬鹿じゃありません。利雄からぼくが聞いたところを簡単に言いますとね、くり抜きたい部分にガソリンをしみこませて火をつけるんだそうです。そして、炭になったところを鍬でほじくる……」

院長は、おう！　と感嘆の声を上げた。

「すばらしい！」

兵隊が院長の袖を引っ張って通訳をせがんだ。院長が説明を終ると、兵隊はいきなり利雄の脇の下に両手をこじ入れて、宙に持ち上げた。

「べり・ぐっど！　わんだふる！　おお、まーべらす！」

ありったけの讃め言葉を使い果してから、ようやく兵隊は利雄を地面に下ろし、胸のポケットから、また、千円札を一枚出して利雄に握らせた。

「コレハソノがそりん代デス！」

その間《かん》、昌吉は少しも表情を変えずただ押し黙って兵隊がはしゃぎたてるのを見ていた。

利雄は、昌吉のこの一週間の不気味な沈黙は、これらの事柄を考え、思いつき、練り上げるためのものではなかったのか、とそのとき訝《いぶか》った。いや、きっとそうだったのに違いない。となると、いったいこれは、何のための計画か。

太陽が赫《か》っと照りつけるなかで、利雄は急に寒《そう》けだった。

7

全長二米三十糎、最大横幅一米五十糎の丸木舟が出来上ったのは、ホームの子どもたちが海水浴へ出かける二日ほど前の、七月の末だった。昌吉と二人がかりでやはり十日近くかかったわけである。

ダニエル院長は丸木舟に、燕丸という名前をつけてくれた。

「燕丸という名には、燕川を燕のように早く走るようにという願いがこめられているのです」

ホームの子どもたち全員で丸木舟を担ぎ、燕川の土手の上に運び、そこで進水式が行なわれたが、そのとき、院長は、シャンパンがわりのサイダー壜を逆手に持って、利雄に言った。

「そして、燕丸とつけた一番大きな理由は、燕が毎年必ず同じ巣に帰ってくるように、利雄君が無事に、元気に、かならず、巣へ、つまり、ホームへ帰ってきて欲しいからです！」

子どもたちが手を鳴らした。院長が船首をサイダーの壜で叩いた。利雄が丸木舟を土手の下へ押した。丸木舟はクローバーの上をごろごろ転りながら、水に落ちた。うまい具合に底を下にして落ちたので、丸木舟はばしゃりと川面に浮かんだ。

川で遊んでいた近所の子どもたちが、犬搔きで泳いで来て、口々にいいなァ、と叫んだ。

「ぼくもホームの子どもになりたいな」

利雄は胸を反らしながら、

「こら、触るなよ！」

と言い、川の中の子どもたちを睨んだ。

「利雄くん、いつ出発ですか？」

と院長が訊いた。

利雄は急に小さくなって、桜の木の根に金具を打ちこんでいた昌吉に、目顔で伺いを立てた。昌吉の打ちこんでいる金具は、丸木舟の鎖を繫ぐ用意で、流失と盗難を防止するためのものだった。昌吉は金具の穴に鎖を通した上、更に南京錠を下ろそうと考えているらしい。昌吉は利雄を無視して仕事を続けた。

「……今日は駄目です」

利雄は昌吉の態度から推して、そう見当をつけた。

「まだ、準備が出来てませんから」

「でも、明日は出帆できるでしょう?」

院長が重ねて訊いてきた。

「みんなで見送りたいのですよ」

利雄はまたこっそりと昌吉の方を窺った。あいかわらず昌吉からは何の合図もなかった。

「どうも明日も駄目のようです」

みんなは鼻を鳴らした。不満なのだ。なにしろ海への出発は明後日に迫っていた。明日中に出帆してくれないとせっかくたのしみにしていた見送りは出来ない。

「どうしてですか。どうして明日、出発できないのです?」

「また準備です。固い地面を歩くんじゃないんです。院長先生、水の上を行くんですよ。

だから、念には念を入れなくちゃァ」

それはそうですね、と肩をすくめ、院長は見送りを諦めた様子だった。利雄はほっとして、昌吉の方へ視線をやった。

昌吉は丸木舟の金具の穴に通した鎖の上から南京錠をカチャリと下ろし、「……よし」と呟いた。

その夜、利雄は母に葉書をしたためた。

「手術の後、治り具合はどうでしょうか。ぼくは、こんど船長になりました。船出はいつかはまだわかりません。さよなら」

鉛筆を置いて眺めてから、これだけでは簡単すぎるような気がして利雄は一行書き足した。

「ただし、船長といっても丸木舟の船長です」

七月が八月になった。

子どもたちが海水浴キャンプに出かけて行って、ナザレト・ホームは、利雄と昌吉、それから、留守番役の桑原志願修道士の三人だけになった。

昌吉は急に落ち着きがなくなったように、利雄には思われた。突然、麦わら帽子を摑んで深々とかぶりホームを出ていったかと思うと、十分も経たぬうちに帰って来て、御聖堂に飛び込む。また出て行く、また帰る、一日に三度も四度もそんなことを繰り返す。気になって、利雄は御聖堂の昌吉を、窓の外から覗いたことがあるが、そのときは驚いた。昌吉は顔の前で両手を合わせていた。渾身の力を籠めているのだろう。彼の両手がぶるぶると震えていた。顔は土気色で、汗のように脂が浮き出していた。

「……われらを悪より救いたまえ。……われらを悪より救いたまえ。……われらを悪より救いたまえ」

昌吉の舌は、溝の摺《す》り減ったレコードのように主禱文《しゅとうぶん》の同じ個所を繰り返している。孤児院の修道士たちは御聖堂のキリスト像の前では真剣に祈った。だが、昌吉はその修道士たちよりも真剣で思いつめた表情をしていた。昌吉は命を賭けて神と取引きをしているように見えた。

昌吉はこうだし、桑原修道士は本ばかり読んでいるし、船出の時もいつだか判らぬし、母から便りは、いっさいないし、利雄は冴えない顔で、一日中、講堂の壁にボールを投げつけて、ワンバウンドを処理する練習をした。誰もいない丘の上に、ボールの撥《は》ねっかえる音だけがやけに大きく響き渡った。

子どもたちが海水浴に出かけてから三日たった日の夕方、木工場のベッドに横になって、それまでにもう何回読んだかわからない「野球界」のページを繰っていると、木工場へ昌吉の入ってくる気配がした。

利雄は慌ててベッドを飛び降り、机の前に坐り直した。ここのところ、昌吉は気味が悪いほど利雄のやることに文句はつけない。しかし、用心するにしくはない。気紛れな昌吉のことだ、またどんなことを口実に殴ってくるかわからない。

だが、昌吉はすぐには、部屋へは入ってこなかった。ゆっくりと木工場の中を歩いてくる。

(……一人じゃないぞ)

利雄は昌吉の足音のほかにもうひとりの、小さな足音がするのを聞いて呟いた。

(子どもだな)

ホームの子がだれか海から戻ってきたのだろう、と、利雄が合点したとき、

「お兄ちゃん、こんばんは」

と、入口で声がした。

見ると、野球帽とユニフォームの、小さな子どもが、帽子の庇に手をかけて立っていた。ただし、いままでに見たこともない顔だった。

子どもの後に、笑みを浮かべた昌吉がいた。

「細谷孝くんだ。これでも小学一年生だ」

その子は赤くなって下を向き、手にしたグラヴを弄《いじ》っている。

帽子にもユニフォームにも「N」の字がついている。ナザレト・チームのマスコット・ボーイが着ているやつだ。

「おれの知り合いの家の子さ。清水沼を歩いてたら、空地でばったりこの子に逢ったんだ」

清水沼というのは、坂下の街から二キロほど離れたところにある賑やかな商店街の名だった。

「……そしたら、こいつ泣いてたんだぜ」

孝が昌吉に向って小さな口を突き出した。

「だって、みんな、野球に入れてくんないんだ」

「そう、怒るなよ」

昌吉は笑いながら孝に言った。

「ほら、あのお兄ちゃん、ああやっていつも野球雑誌を読んで野球の勉強してるんだぜ。あのお兄ちゃんの名前は利雄、このナザレト・ホームの五番打者で、キャッチャーなんだ」

孝は尊敬をこめた目で利雄をみつめた。利雄はすこし照れて頭を搔いた。

「それほどでもないですよ。ただ、大好きなだけ……」

構わずに昌吉は続けた。

「あのお兄ちゃんに一週間も教わったら、もう孝君の友だちなんか問題じゃないぜ。いっぺんで主戦投手だ」

いつもの昌吉と違ってなんとなく声の調子が軽いようだった。軽い、というより上っ滑りな、もうひとついうと、国語の教科書を読んでいるような。

「どうする？」

昌吉に訊かれて孝は、ぴょんぴょん昌吉に飛びつきながら、

「教わりたい！」

「でも、これだけは守ってもらわなくちゃァね」

「なに？　言ってよ。どんなことでも守るから」

「あのお兄ちゃんの言うことに絶対にそむかないこと。できるかな？」

「できる！」

孝は小さいがしっかりした声で言い、それから、利雄に向って、

「お願いします！」

と、帽子を脱いで挨拶した。

帽子とユニフォームがとても気に入ったらしくて、ときどき、あちこちを撫でてみたりしている。だが、そのうちにふと孝はなにかを思い出して、しょげた顔になった。

「でも、教わるのはいいけど、家でなんていうか……」

「君の家の許しはもらってある、といったろう？　なのに、そういうふうにめそめそするのは嫌いだな。あのお兄ちゃんはもっといやがるよ」

昌吉はここで一語一語嚙みしめるように言った。

「もう一度ここではっきりさせよう。いいかい？　ここで野球の勉強をして別所投手のようになるのがいいか、家へ帰って野球は下手っぴいのままでいる方がいいか、さァどっちにするんだ？」

孝は迷っていた。

「孝君の好きにしていいんだよ」

孝はますます迷いだした。

「あ、忘れてたけど、あのお兄ちゃんは丸木舟にも乗せてくれるよ」

その一言で、孝はもう迷わなかった。

「ぼく、別所投手になるよ！」

昌吉はここではじめて部屋へ入って来た。無理に勢いをつけているような歩き方だった。昌吉は青い敷布のカーテンを閉じ、

「では、入れよ、孝くん！」

と、言った。

利雄は、ただ驚いて昌吉を眺めていた。

それから、小一時間ばかり、利雄は昌吉に言いつかって、孝に野球雑誌を見せていた。孝は投手の写真のところへくると、膝を乗り出し、喰い入るように見つめている。捕手にはあまり関心を示さないので、利雄は、やっぱり捕手は縁の下の力持ちだな、第一、マスクなんかするからいけないんだ、などとぼんやり考えていた。

その間《かん》、昌吉は自分のベッドの上に寝転って、天井の同じところを眺めていた。驚いたことに、昌吉は煙草を指に挟《はさ》んでいた。いつから煙草を喫《の》むようになったのだろう。噎《む》せてばかりいるのは、まだ始めて間のない証拠だ。

「よし！」

しばらくして、昌吉が自分に声を掛けながら起き上り、ベッドの下からボール函をふたつ引っ張り出すと、その中身をベッドの上に一度にぶちまけた。乾パン・花林糖・甘納豆・コッペパンなどが、利雄の眼の端に入ってきた。それから、ソーセージにハム、そして、乾ぶどう、乾燥した卵黄の罐詰。ランニングやパンツなどの衣料も見えた。

ごそごそと、だいぶ長い間、なにかやっていた昌吉が、やがて、二人のそばに歩み寄り、利雄と孝が見ていた野球雑誌を取り上げ、代りに金物の皿を置いた。

「さァ、孝くん、御飯だ」

皿の上には、ボール、グラヴ、ミット、バット、ホームベースなどを形どった野球ビスケットがひとつかみと、ハム一枚、乾ぶどう二十粒ほどが載っていた。

孝はボールの形のビスケットをつかみ、「別所投手、第一球投げました！」と、志村正順アナの口真似をした。そして、ぽいと口の中に放り込んで「ストライク！」と、叫び、嬉しそうに嚙んだ。

「利雄、ちょっと……」

しばらく放っておいても孝は大丈夫と見てとって、昌吉が利雄に低く声を掛けた。

「外へ出てくれ」

外はもう星の天下になっていた。

「いいか、利雄、おまえは明日の朝、孝と一緒に例の丸木舟に乗るんだ。出発は夜明け前。三時半に起す」

利雄がなにか言おうとしたが、昌吉はその上からおしかぶせるように、

「四日目の夜の十二時に木工場へ戻って来い。それまではどんなことがあっても帰ってくるな。いいか、燕川をずっと流れて行くんだ。おれの計算では三日目に海に出る。海に出る寸前に岸に上れ。三日目の夜は海の近くで寝ろ。四日目は半日、海で遊んでいろ。海水浴で人が出ているから結構おもしろいぜ。この四日間は何も考えずに孝の世話をするんだ。野球の話をして喜ばせてやれ」

利雄がまた声にならない声を挙げた。昌吉が刺すように利雄を視た。昌吉の眼は黙って聞けと命じていた。

「これは大事なことだが、いいか、一日に一回、夕方の六時に、ホームへ電話を寄越すんだぞ。六時におれは電話の前で待っているからな。何も心配はないぜ。喰いものも着るものもちゃんと用意してあるんだから。とにかくおまえは孝と楽しくやってりゃいいんだ」

昌吉が、利雄の鼻に自分の鼻が触れ合うぐらいにまで、ぐっと寄って来た。

「いいか。おれのいま言ったことにひとつでもさからったら、……へまをしたら……」

昌吉は、利雄の眼の前に、自分の左の掌をひろげ、それに右の拳を激しく叩き込んだ。

「殺す」

利雄は反射的に頷いた。昌吉はポケットから分厚い封筒を取り出した。

「百円札で四千円入ってる。一日千円以上使うと足が出るぞ。まあ、足を出してもいいが、電話料だけは残しておけ」

利雄は封筒を受け取った。掌に軽く載っているその封筒が、利雄にはひとりでは支え切れないほどの重さに感じられた……。

「封筒の中には、おれがいま言ったことを個条書きにした紙が入っている。一日二回、夜、眠るときと、朝、起きるとき、必ず三度は繰返し読め」

利雄は頷きながら、歯をガチガチさせた。

「あれ？　何を震えているんだ？　おまえ？」

利雄は口を開いたが、やはり声にはならない。

「殺す、なんて言ったのがいけなかったかな。大丈夫だよ、安心しろよ」

昌吉は利雄の肩を軽く叩いた。

「あの孝って子は、一人ッ子の甘えん坊で凄え弱虫なんだ。それで、おれが四日間預かっただけさ。弱い性格を鍛えるために安全な冒険をさせてあげますってね。その礼金でS大の受験料と入学金と一年分の授業料が出そうなんだ」

昌吉は、ここで、その夜はじめて、はっきりした笑い声をあげた。

「変ったバイトだろ？」

「……変ってる」

利雄もはじめて、声が出た。

「協力してくれるな？」

利雄はうんと言った。

部屋へ戻ると、孝の皿は綺麗に片付いていた。孝がとろんとした目で、二人を見上げた。

「眠いよ」

利雄は孝を自分のベッドへ抱き上げた。

「明日の朝、丸木舟に乗せてやるよ」

孝は、わァと声を挙げ、開いた口がそのまま欠伸《あくび》になり、欠伸のおさまらないうちに、利雄の腕の中で眠ってしまった。

昌吉が本館の方へ出ていった。

利雄は本立てから新しいノートを一冊抜いて、表紙に角ばった字で、

「社会科夏休み自由研究・丸木舟漂流記」

長い時間をかけて、こう書き込んだ。

8

「船出の朝、太陽は東から昇った」

これが、利雄が今でもはっきりと憶えているこの「丸木舟漂流記」の書き出しだ。名文を書こうと力を入れすぎ、鉛筆を舐めしゃぶりしてあれこれひねっているうちに、こんな下らない出だしになってしまったのだった。

それはそれとして、船出の朝の利雄の気分は、そう悪いものではなかった。

たしかに昌吉の態度には不審なところが数多くあった。あの未来履歴書がまずおかしい。百万円拾うとはいったいどういう意味なのだろう。それから青い敷布のカーテンだ

って変といえば変である。昌吉は昨日の夕方、孝が部屋へ入る寸前、怖しい表情でカーテンを閉めた。孝を預るのがアルバイトなら別に外から覗かれても構わないじゃないか。それからまだある。ひとりで御聖堂に閉じこもっていたときの昌吉の、あの熱病やみのようなひどい手の震えや、額のあたりで不気味に光っていた脂汗は何を表わしていたのだろう。

たしかに、信者の少年の中には祈っているうちに、ああ、ぼくにいま天主様が御降臨遊ばされている！　というような思い入れをして、無我の境というのか、法悦というのか、それとも大袈裟というのか、まあ、あのときの昌吉のようになるやつもいる。でもそういうふうになってしまう信者少年の顔ぶれはいつも決まっていた。昌吉は本気で闘っていた。神を相手に命がけで取引きしていた。法悦などの甘っちょろいものではなかった。利雄には昌吉が彼自身と闘っていたような気がしたが、いったい自分のなにと死闘をしていたのか。

岸を遠く離れて丸木舟は速い流れに乗ったらしい。雪国にいた頃に、よく乗った雪橇《ゆきぞり》が起伏や凹凸の激しい雪道を走るときもこんな乗り心地だった。利雄は丸木舟の左右の船端を両手でしっかりと摑みながら、雪橇のときの要領で腰を船底から浮かしたり、下したりした。

そのたびに利雄のあぐらを枕にして眠っていた孝が、瞼を重そうに開け閉じして、夢と現《うつつ》を往復している。

孝は利雄の背中で寝息を立てているうちに木工場から燕川の土手に降り、寝言をいっているうちに、岸の昌吉から丸木舟の利雄へ慎重に手渡され、今は、かなりの速さで走る舟の中でうとうとしているのだった。

丸木舟の船端を摑んでいるうちに、だいたい、この丸木舟がいちばん変なんだ！　とつい声に出して呟き、舟の腹を叩いていた。なぜ、昌吉は自分にこんな凄い冒険をさせる気になったんだろう。

だが、丸木舟漂流記を先生が読むときの顔を川面の上に思い浮かべて、利雄は思わずにっこりした。きっと感心するぞ。陽子が転校していなかったら、きっと隣りから手を伸ばしてノートを持っていってしまうはずだ。ひょっとしたら、S新報に紹介させてよ、と言うかもしれない。

そうして、日曜の朝、御聖堂へやってくる信者の女の子たちが遠くから利雄を指してこう囁き交すだろう。

《見て！　あの子がナザレト・ホームのロビンソン・クルーソーよ》《あら、クルーソーじゃないわよ。全国紙の地方版には写真入りで〝光が丘のガリバー！〟って書いてあったわ》《みんなちがうわ！　ラジオの子供の時間では〝昭和のキャプテン・キッド！〟といってたのよ》……

気がつくと、下から孝が利雄の顔を見ていた。孝はもうすっかり目を覚していた。

「なにやにやしてるの？」

利雄は弛んだ表情をさっと引き締めて、

「ご飯にしようか」

と、顔は前を向いたまま、右手を背後のボール函の中に廻して、紙袋をふたつ摑みだした。昌吉がいろんな食料を適当に混ぜて一食分を一袋にまとめてくれたのだ。もういちど、利雄は右手を背後に廻し、こんどはかなり手間どりながら、サイダー壜を一本、目の前に持ってきた。壜には水が入っていた。一食につき二人で一本の割当てだ。これも昌吉が準備してくれたのである。

朝食をたべている間、ずうっと、自分を目の仇にしていた昌吉が、なぜ、こうした食べ物を、このさわやかな水しぶきや川風を、あのすがすがしい朝日を、そして、それらをすべてくるめたこのいきいきした気分を与えてくれたのかを、利雄は考えていた。

でもいいや！　利雄は昌吉に対するすべての不審を、たべかすといっしょに紙袋にくるんで流れの向うへ投げた。昌吉は昨夜、はっきりと、これはバイトだといったではないか。

「ずいぶん遠くまで飛んだね、いまの紙袋」

孝が感心したように言った。

「そうでもないよ。軽すぎると遠くまで届かない」

孝が利雄の真似をして紙袋を投げた。右へ投げたつもりが左へ落ちた。

「それじゃ名投手にはなれないな。プロ野球は別だけど、ぼくらなんかの野球じゃ、スピードよりもコントロールだぜ」

孝は、これはもう野球の授業の始まりだぞ、と思い全身を耳にする。川の底が浅くなって水音が高くなりはじめたからだ。

「なんといったって軟球は、たとえ真直のゆるい球でもジャスト・ミートが難しいものなんだ。だからのろのろ球でもコントロールさえよければ通用するのさ。孝君はぼくの見たところじゃあんまり速い球は投げられそうもない……」

「……まァね」

孝は膝を両腕で抱き込んで小さくなった。

「だが心配はいらないんだ！」

孝は首を伸ばしながら嬉しそうにする。

「コントロールだよ、孝君。軟式の野球は投手がフォアボールさえ出さなきゃ勝てる。嘘じゃないよ。豪速球の真田重蔵投手も〝野球少年〟という雑誌の今月号でそういってる」

「ほんと？」

「ああ、ぼくその言葉を正確に覚えているんだ。こうだ。〝全国の野球少年のみなさん、コントロールは命の次に大切ですよ！〟」

「ふーん」

「先月号の〝ベースボール・マガジン〟では別所投手はこういってた。〝軟球の場合きめ球は内角高目と覚えておくべきだ。プロ野球では内角高目は禁物だが、軟球では内角球を振り切れる打者はそうはいない。むしろ、外角球や変化球の方が初心者には合せやすいのだ〟ってね」

「初心者ってなに？」

「たとえば、孝君がそうさ」

ここで実技が始まった。舟の底から取り出したボールを手に、直球、カーブ、シュートと、利雄は握り分けてみせる。

「……それで、正確なコントロールをつけるのに一番よい投げ方は上手投げだよ。英語ではオーバースローというけどね」

孝は口真似をしてみる。

「オーバーシュロー……」

「シュローじゃないんだけどな。でも、いいだろう。ここは英語教室じゃないからな。では上手投げのフォームはどうなっとるかというとだな」

利雄の口調に中学校の体育教師の癖が出た。

「こうなっとるのだよ」

腰を下ろしたままの上半身だけの動きで、利雄はゆっくりとシャドウピッチングをしてみせた。つい、いつもの癖で球を放してしまった。利雄は大急ぎで右船縁《ふなべり》の紐の結びめを解きほぐそうとした。燕川の流れはゆったりしているから、丸木舟はゆっくりと廻りながら自然に流れて行く。しかし、必要の場合に備えて船縁に短い棹が紐で縛ってあるのだ。

しかし、利雄が結び目を解き終えたころ、舟とボールとの間は十メートルも離れてしまっていた。

「しようがないな。……これからは講義だけで行くか」

粗忽な講師が呟くと、

「……うん」

生徒は頷いて、川面に手を置いて水の流れのままにさせはじめた。利雄は急に沈んだ表情になってしまった孝を見てどきりとした。あ、この顔は、母親のことを考えているな。それが利雄にはなんとなくわかるのだ。

そのとき、ふと、舟に黒い影が落ちた。はっとして、利雄は上を振り仰いだ。舟の頭上で、鉄橋が陽の光を遮っているのである。遠くから音の塊が近づいてきた。あれ、と思う暇もなく、電車の轟音が二人を滅多打にした。

思う暇もなく、電車の轟音が二人を滅多打にした。怯《おび》える孝の手をしっかりと握ってやりながら、利雄は、電車というのを下から見たのは始めてだな、と思った。

鉄橋を潜りぬけると、燕川は左へ大きく蛇行しはじめた。

たしかS市内に入るまで、電鉄の鉄橋だけでもまだ五つか六つはあったはずだ。電車なら五分で来れるところが、いまのが始発だとすると、もう五時半、つまり一時間半もかかっていることになる。

利雄は重い気分になってまだはるかに遠いS市の市街に向って、やれやれ、と溜息をついた。

漂流もなかなか楽じゃない。

そのとき、孝が急に顔を左へ振って、川面を覗きこんだ。

「……孝君、どうした?」

孝は答えるかわりに水面に吐いた。利雄も、胃の腑を紐か糸かなにかでぐっと下へ引っ張られているような気分に襲われて、船縁から顔を水面へ出した。

二人は船酔いにかかっていた。

9

利雄たちの舟が、S市内の愛宕橋下の中洲へ着いたのは、その日の午後五時ごろだった。

橋の袂の氷水屋で、サイダーを一本ずつ、飲んだあと、利雄は孝の手をひいて浅瀬を渡り、また中洲へ戻った。

百円紙幣四十枚入りの袋の中に、昌吉からの指図書が同封されていたが、その一番最初の指令に「店には入るな。入ってもすぐ出て、川岸で休め」とあったので、利雄は、その指令を忠実に守ったのだ。

「名投手になるのも辛いなァ……」

中洲の河原の石の上で、孝が肩で息をしながら呟いた。利雄もへとへとだったが、腰に巻きつけた風呂敷包から、漂流記ノートを取り出しながら言った。

「そりゃァ、トレーニングだから辛いさ。でも、名投手になるためにはこれぐらい辛抱しないとね」

それから利雄はノートにこう書いた。

「午後五時、S市愛宕橋に着く。サイダーを一本ずつ飲む。船酔いで参った。ロビンソン・クルーソーの苦労がわかった」

ここまで書くのがやっとだった。利雄は左腕を孝の枕に貸してやり、自分は大き目の石を枕にして、ほんのしばらくの間、うとうとした。

浅い夢の中で、だれかが「六時！　六時！　を忘れるな」と叫んでいた。そうだ、ホームの昌吉のところへ連絡しなくっちゃ。遅れたら、またあとでひどい目に遭うぞ。はっとして目を覚すと、陽はまだいくらも動いていない。眠りに落ちる前、愛宕橋の欄干へ五ミリぐらいの隙間をあけていた夕陽が、まだ欄干にくっついていなかった。うとうとしていたのは五分かそこらだろう。

隣りを見ると、孝が蒼ざめた寝顔を、利雄の脇の下へ潜りこませるようにして眠っていた。

あとから考えてみると、ほんとうに、孝という子は不思議な子だった。人によくなつき、人を疑うということをしなかった。ずいぶん育ちがよかったのに違いない。そうでなければ、よほど素直な子だったのだろう。天使さえも、あの孝の前へ出たら、己の心の貧しさに気付いて恥入っただろうと、利雄は、その後、孝のことを思うたびに心に錐《きり》の突き立つのを感じたものだが……。

利雄はそっと孝の頭を持ち上げた。そうして腕枕のかわりに、漂流記ノートやお金や衣料などを包んだ風呂敷包を、孝の頭に当てがってやった。そろそろ、昌吉へ連絡を取らなくてはならない。

立ち上った利雄は一、二歩、歩き出して、あッ！　と小さな叫び声をあげた。

「ない！　丸木舟がない！」

利雄は川下へぴしゃぴしゃ水しぶきを飛ばしながら走った。だが川下にそれらしい舟影はなかった。うろたえた利雄は、こんどは川上へ向って走った。

その気配に孝が目を覚した。

「どうしたの、お兄ちゃん？」

「ないんだよ！　燕丸が流された！」

「流されちゃったって？」

「そうなんだ。舟の鎖に大きな石を乗せといたんだ。なのに、その石はあるのに舟がない……」

孝はくすりと笑って、

「そりゃそうさ、お兄ちゃん。石は流れないもん、あるはずさ」

と言った。

「そうか……」

利雄は頭をひと掻きし、なおも川上を見ていた。

「それからそっちは川上だよ。舟は川上へは流れないよ」

利雄はまた頭を掻いた。これではどちらが講師で、どちらが生徒か、わからなかった。

利雄は丸木舟を探すのを、ひとまずやめて、孝の手を引いて橋の袂の氷水屋へ行き、電話を借りた。呼出し音が一回鳴るか鳴らないかのうちに向うで受話器を取る音がした。

「もしもし……」

利雄は低い声で言った。

「ぼくですが……」

「馬鹿野郎！」

昌吉の声だったので、利雄は思わず身を引いた。間に電話線がなければ殴られていたところだ。

「五分、連絡が遅れたぞ」

「……すみません」

「で、どうだ？」

孝の消息を訊いている口調だった。

「船酔いと疲れですこし参っています」

受話器の向うで、しばらく考える気配がしたが、やがて、一語一語を区切ってはっきりと昌吉が言った。

「スパルタ教育で行け。孝を鍛えろ」

「……はあ」

「なんだその言い方は……」

「別に……なんでもありません」

「よし。……他に変ったことはないか？」

「あのう……」

「なんだ？　どうしたんだ？」

「丸木舟がちょっと……」

「燕丸がどうした？」

「居なくなりました」

「居なくなった、だと?!」

「……流されたんです」

しばらく何も聞えて来なかった。やがて、怒気をふくんだ低い声が蛇のように電話線を走って来た。

「……おまえ、どういうつもりなんだ」

利雄は咄嗟《とっさ》に思いついて叫んだ。

「委《まか》せて下さい。うまくやってみせます。じゃ、明日の六時にまた電話を掛けますから……」

昌吉は黙っていた。これがもし間に電話線がなかったとしたら、自分はいったい何回、殴られただろうか。最初にまず一回、それから、途中で二回、最後あたりでは、六、七回、全部合せて……そんなことを考えながらなおも待っていると、やがて昌吉は叩きつけるように受話器を切った。利雄の方はニトログリセリンでも置くように、そっと受話器を元に戻した。

「いまのだれ？」

利雄が電話するのを、電話台に寄りかかって下から見上げていた孝が訊いた。

「ずいぶん小さくなっていたね？ いまの人はぼくをナザレト・ホームへ連れて来てくれたお兄さん？」

「いや、そのう、ぼくが小さくなっていたのは、相手が偉い人だからなんだ。今のは、孝くんが聞いたらびっくりするような、凄い人なんだ」

利雄は孝の野球帽の上に手を置いて、愛宕橋の方へ歩き出しながら、

「いまのは巨人軍の三原監督だ、といったらどうする？」

孝は動かなくなった。そして利雄の顔を眩しそうに仰いだ。

「川上選手より偉い人だね？」

「まぁね。……で、そんなような人が、孝くん、がんばれっていったとしたら、どうする？」

「ぼく、がんばる」

「えらい！ 孝くんは名投手になれる」

「うん、コントロールの名人になるんだ！」

利雄も必死だった。孝とはなしをしながら、利雄は橋を渡ったところから、ゆるやか

な勾配をもって始まってる小さな丘に注意深い目を配っていた。

濃緑の丘のあちこちが削られて、赤い地肌を露わにしていた。こういうところには五、六軒かたまって、新しい建売住宅が建っているものだ。まだ住人の入っていない家にもぐりこめば、昌吉の言いつけ通り、舟がなくても二、三日、時を稼ぐことができるだろう。さっき、昌吉との電話で言っていた方法とはこのことだった。

これにはじつは侘しいヒントがあった。ナザレト・ホームへ来る直前のふた晩ほど、利雄と、利雄の母親は、普請中の家屋に、こっそり忍び込んで眠ったことがあった。

そのとき、母親は療養所へ、利雄は施設へ、同じ日に離れ離れになることになり、その別れの日の朝にアパートを引き払ったのだが、利雄をナザレト・ホームへ世話し、連れて来てくれたあのカナダ人神父に大事の用が出来て、利雄の出発が二日、おくれた。そこで、母親も療養所入りを二日遅らせ、その間、親子は住む所もなくうろつきまわっていたのだった。利雄は、そのとき、まだ、誰も住んだことのない家で眠るのはいいな、と思ったものだ。そこではなにもかもが新しく、畳の匂いや、材木の香りが、ふんだんにあった。

ただ、辛いことがひとつだけあった。それは、これと目星をつけた家の前でさりげなく、大工さんたちの帰るのを待っているときの情けない気持。あのやるせなさは、ずいぶん長い間、利雄の心の底に澱《おり》となって沈んでいたはずである。朝寝坊のできないのも不便だったが、他人の家へ無断で忍び込んだ上、そこまで贅沢を言っては、これはすこし図々しすぎる。

丘のどこかの原っぱへ遊びに来ての帰り道、そんな風を装ってあちこち物色して廻っていた利雄は、六軒並んだ小さな建売住宅街の入口で足を止めた。

「ここがいいな」

利雄は、今日一日の長い船酔いと長い歩きとですっかり疲れ切っている様子の孝に言った。

「ここなら安心して眠れそうだ」

「ここがいいってなにをするつもりなの」

「決まってるさ」

利雄は孝の肩を叩いた。

「合宿所探してたんだぜ」

「……合宿？」

「プロ野球の選手はだれでも始めは合宿に入って、みんなで一緒に練習するもんなのさ。ここはいいよ。この辺はこうやって歩いていても犬が吠えないだろう？　だから住みやすいぜ。嚙みつかれる心配もないし、怪しまれる心配もないんだ」

疲れているためだろう、野球のはなしをしても、孝はあまり嬉しそうな顔をしなくなっていた。利雄は孝を元気付けようとして、来る途中で買い込んだジャム付きのコッペパンを風呂敷包の上から勢いよく叩いてみせた。

「たべものもちゃんとあるぜ」

「それよりぼく眠い……」

利雄は孝の手を握り、素早くあたりをたしかめると、一番手前の家の中へ駆け込んだ。灯がともっているのは人が住んでいる証拠だった。そこで利雄は、その奥の二軒からもっとも離れている家を選んだわけである。

真ッ暗な中を手探りで這い廻り、利雄は何枚かの新聞紙を集めた。

「これは布団だ」

畳の上に新聞紙を二、三枚、重ねて置いて、その上に、孝を寝かせ、自分のためにも一枚敷いた。

「寝冷えをするといけないよ。一枚ずつ掛けよう」

それから、二人は紙の布団の上で腹這いになって、コッペパンを齧《かじ》った。孝にはあまり食欲がないようだった。遠くの方で蛙が啼いていた。闇のむこうから夜汽車の汽笛が聞えた。

「……合宿って暗いね」

「うん、合宿では、朝早く起きてトレーニングするために夜は早く寝るんだ。でも、眠いっていってたくせにまだ、目を開《あ》いていたのかい？」

「うん、暗いとだめなんだ。ぼく、家では電灯つけっぱなしで寝てるもの」

「ふうん。孝くんの家は何屋さんなんだい？」

「楽器屋だよ」

「兄弟は？」

「いないよ」

「そうだったね。ぼくもいないよ」

また、しばらく、孝は新聞紙の布団をがさがささせていた。

「暗いと怖いんだな？　うん、ようし、二人で尻取りでもしようか」

孝のがさがさが止んだ。

「じゃ、ぼくから始めるよ」

利雄はちょっと考えてから、

「やきゅう」

と言った。

「……うそ」

と孝が続ける。利雄はなんだか知らないが暗がりの中でぎくりとした。

「……そら」

「らっぱ」

「ぱちんこ」

「ことり」

「りんご」

「ごみ」

「みそ」

「そんごくう」

「うま」

「まめ」

「めだか」

「かき」

「きょうだい」

利雄が言うと、孝が傍へ寄ってきながら、

「いんき」

「きょうだい」

また利雄が同じことを答えた。孝が利雄の腕を枕にして、

「いんちき」

とロを尖らせたような口調になった。利雄はしつっこく続けた。

「きょうだい」

孝の返事はもうなかった。返事のかわりに、利雄の腕の上で孝の頭が重くなった。

10

あくる朝、利雄は牛乳罎の触れ合う音で目を覚した。孝に牛乳をのませてやろう。ついでに、自分も飲んでやろう。そう思って、利雄は奥の二軒の受箱から、牛乳罎を抜きだした。が、そのときふと何気なく新聞受に目をやって、彼は息が止まりそうになった。新聞受から、孝が、こっちを見ているのだ。続いて利雄の目に「行方不明」という大きな文字が飛び込んできた。

利雄は新聞受から新聞を引き抜いた。それは地元紙のS新報だった。孝がこっちを見ている、と思ったのは彼の錯覚で、折り畳んだ新聞の第一面に孝の写真と行方不明という見出しの活字が出ているのだった。

利雄は活字のひとつひとつに喰いつくようにして、記事を読んだ。その記事は、S市郊外清水沼商店街の細谷楽器店の一人息子の細谷孝君は、一昨日の夕刻自宅近くの空地から行方が知れなくなった、誘拐された疑いもある、と報じていた。孝の特徴や服装についても詳しく書いてある。読んでいるうちに、ひとりでに利雄の足が動きだした。その足がいつの間にか走りだした。そうだ、これですべて辻褄が合う。昌吉がやったんだ。いつかの「松尾昌吉のこれからの履歴書」の冒頭の一行「八月、S駅で百万円拾う」の真の意味はこれだったのだ。つまり誘拐……。誘拐という文字を思い泛《うか》べるたびに、利雄は何度も膝の力が抜け、地面に坐り込んだ。嘘だ、という声もどこかでしていた。こんな大事件が、自分のまわりで起るわけがない。嘘だ。嘘でなければ夢だ。しかし、新聞にまた目を戻すと、そこには、孝の稚《おさな》い笑顔と、行方不明という大きな活字がたしかにある。

利雄は愛宕橋まで来て立ちどまり、はァはァ息をしながら、「落ち着け！　落ち着け！」と呪文のように繰り返し、そろそろと氷水屋の前の電話へ近づいた。氷水屋も、ほかの店もまだ表戸を立てていた。

利雄は、電話のダイアルの穴に、震える指を苦心してさしいれてホームの番号を廻した。誰も出ない。いまのホームには昌吉と桑原先生の二人しかいないはずだ。二人とも遠くにいてベルが聞えないのだろうか。

と、受話器を外す音がした。

「……もしもし、もしもし……」

「……ハイ。ナザレト・ホームですが……」

昌吉の声だった。昌吉の声は硬い。利雄は思わず大きな声になって、

「新聞を読みましたよ！」

「……利雄か?!」

「そうです！　松尾さん、いったい、いったい、これからどうなるんです?!」

「静かにしろ」

昌吉は鋭くひとつ舌打をした。

「まわりに人がいたらどうするんだ」

利雄は反射的にあたりを見廻した。

「だ、だれもいません。こ、これから、ぼくはどうすればいいんですか？」

「簡単だ。次の二つを守っていればいいんだ。このことはだれにも、たとえお前のお袋にでも喋るな。孝を人にみつけられるな。これだけだ」

「ぼ、ぼくは怖いんです……!!」

利雄は泣きそうな声を出した。

「うるさい！　もしも、いま言ったことをおまえが守らなかったら……」

昌吉は地の底からでも響いて来そうな陰気な声で言った。

「殺す。おまえがどこに隠れようと必ず探し出して殺す」

電話口で、利雄は一瞬母親の顔を思い出そうとした。母親に縋《すが》ろうと思った。他に縋れる人はいない。だがその大切な母親の姿がどうしても思い浮かばない。こんなことは、これまでに一度もなかった。

「利雄！」

「は、はい……」

「おれの言ったことわかったな?!」

「は、はい」

「忠告しておくが、警察に届けちゃいけないぜ。利雄、おまえも共犯なんだからな」

言い捨てて昌吉は電話を切った。

利雄はしばらく何も考えることができず受話器を持ったまま突っ立っていたが、いましがたの昌吉の「殺す」と言ったときの怖しい口調を思い出し、身震いした。昌吉はきっとそうするだろう。他の人のことは知らないが、すくなくともこの自分には、いままで殴るといって殴らなかったことなどただの一遍もなかった。昌吉は必ずやってくる。

利雄はいつ受話器をかけたのか、どこへ新聞を捨てたのか、どこをどう歩いたのか、なにひとつわからず、気がつくと、孝の枕許に坐っていた。

孝は肩を大きく上げ下げしながら苦しそうな顔で眠っていた。顔が異様に赤かった。孝の額に手を当ててみると熱があった。利雄は風呂敷を台所の水道の水で濡らし、孝の額にあててやった。

孝が目を覚し、利雄の顔を見てかぼそい声を挙げた。

「……お家へ帰りたい」

やはりいますぐ孝を連れてここを出るべきだ、と決心して立ち上ると、「おまえも共犯なんだからな」という昌吉の声が、虚《うつろ》な頭にがんがんと響き渡る。そうすると腰が抜けたようになって坐ってしまう。でもやっぱり孝を親許へ届けた方がいい、いや、ぜひそうしなくては、とまた決心をし直し、軀を起しかけるのだが、すぐに、天井や押入れや手洗いや床の間や、その建売住宅のいたるところから、何人もの昌吉が「必ず探し出して殺す」といっているのが聞え、気のせいだ、そんな莫迦《ばか》なことがあるものか、と思いながらもまた腰を下ろしてしまう。

利雄は、はじめは十分おきに、それから五分おきに、やがては三分おきに立ったり坐ったり、頭を抱え込んだり、柱にがんがん頭をぶっつけたり、自分で自分がわからなくなってしまったようだった。

その只事でない様子に、孝は不安になって、

「もう名投手になんかならなくていい」

と、べそをかいた。

午後になって風が吹きだした。やがて、その風に雨が加わった。孝の泣き言はすこしずつ譫言《うわごと》に変っていった。雨戸の上の小さな明り取りから見えていた灰白色の空が薄墨色に変ったころ、孝の譫言がふっと静かになった。

顔を近づけてみると、孝は規則正しい息使いをしながら昏々《こんこん》と睡っていた。利雄は、ほっと胸を撫で下ろし、出来れば一生このままでいたいと思った。いまのままなら、どんなにか気が楽だろう。昌吉に、殺すぞ、と脅かされずとも済むし、こうやって、孝が安らかな寝息を立てていてくれる限り、孝にそうたいした責任を感じることもしないですむ。このままこうやっていつまでもここにいることができれば、利雄は昌吉には怖れを孝には後めたい思いを感じないですむ。つまり、自分の臆病さや卑怯さを見ずにすむのである。だが、むろん、この妙な小康状態がいつまでも続くなどということはあり得ない。

昌吉の奴隷のままでいるか、孝の「兄」になるか、利雄ははっきりと決めなくてはならないところに立たせられていた。

思いあぐねて、利雄は、漂流記ノートの間から葉書を一枚取りだし、まだ、すこしは明るさの残っている台所へ行った。台所には机も椅子も入っていない。利雄は床の上に、丁寧に葉書を置き、その上に被《お》いかぶさるようにしながら、母親に向って書きはじめた。

「お母さん、助けて下さい！　ぼくは、困っています。いまぼくがどうしたらいいか、それに答えられるのはお母さんだけです。お母さん、ぼくはこわいんです……」

ここまで書いて来て、利雄は鉛筆を投げ出した。書くことが山ほどありすぎ、またまどろこしさが先に立ってとうてい文字など書けるものではなかったのだ。それにたとえ文字をなんとか書くことができても、手紙のやりとりではいまの急場に間に合いそうにない。利雄はその葉書を破り捨て、長い間、台所の床の上に坐ったまま、声を立てずに泣いていた。

やがて涙が渇《か》れた。利雄は孝の寝顔を覗き込み、その額の汗を手で丁寧に拭き、もう一度、昌吉と連絡をとってみようと決意した。もうそろそろ、昌吉と定期連絡をとらなくてはならないころでもあった。

利雄はそっと仮の家を抜け出し、風と雨の中を、愛宕橋の方へ歩いていった。氷水屋の時計は、六時を三十分以上も廻っていた。ダイアルを廻した。

氷水屋のおばさんが、びしょ濡れでその上、ひどくそわそわしている利雄を見て怪訝《けげん》な顔をしていた。利雄は、おばさんに背を向けて相手の出るのを待っていた。

「もしもし」

昌吉の声がした。

「あ、ぼくです」

「ずいぶん、遅かったな」

利雄は上ずった声で、

「ぼくはもう、どうしていいかわかりません」

と受話器の向うの昌吉に言った。

「またか。今朝言った通りにすればいいんだ」

「そうじゃないんです。病気なんですよ、熱があって、譫言ばかりいっています……」

「誰のことだ？」

「だから……」

利雄が名前を出せずに言い澱《よど》んでいると、昌吉も察したらしくむっと黙りこみ、突然、語気鋭く言った。

「連れてこい！　とにかくなんでもいいから、連れてくるんだ」

利雄は昌吉の刃物のような口調に気押されて、思わず、はい、と頷いた。

風と雨は、夜の十一時ごろから本格的な吹き降りになった。愛宕橋で利雄がタクシーを摑まえたのはちょうど、その時刻で、運転手は、嵐の夜に子どもがタクシーに手を掲げるのを見て最初は妙に思ったようだったが、行先が「ナザレト・ホームの下」だと聞いてはじめて得心のいった顔になった。

だらだら坂道の下で、利雄はタクシーを降りた。料金は昌吉がくれた四千円の中から払った。

孝を背負って、木工場へ出るだらだら坂道を登って行くと、松の幹の蔭から黒っぽいレーンコートを着た昌吉が飛び出してきた。突然の人影に、利雄が思わず立ち止まると、昌吉は貝のように押し黙ったまま、彼の前に立ち、木工場の方へ顎をしゃくった。

木工場の部屋に入ると、利雄はまっさきに背中の孝を自分のベッドの上に下ろし、壁にかかっていたタオルで孝の顔を拭いてやった。風雨のなかを急に動かしたのが悪かったのだろう、孝の額は灼《や》けるように熱くなっていた。目はとろんとした感じで、宙の一点に据えられたままだ。

「お母さん、お母さん……」

孝はしきりに唇を動かしていた。

やがて昌吉が部屋に入ってきた。わずか二日逢わなかっただけなのに、昌吉の顔はずいぶんな変りようで、まるで別の人かと思うほどやつれていた。昌吉はいきなり利雄の頬に鞭のような平手打をくれた。

「この、間抜け！」

昌吉は靴で利雄の向う脛《ずね》を蹴った。利雄が思わず蹲《うずくま》ると、昌吉は膝で利雄の額を突き上げた。利雄はのけ反って自分のベッドの上に倒れた。この騒ぎに、孝が怯えて泣きだした。

「こわいよォ！」

利雄の胸倉を摑んでねじり上げまたも平手打を喰らわせようとしていた昌吉は、孝の突然の泣き声にうろたえた。昌吉は、利雄を突きはなして、孝を抱き上げ、

「な、な、泣くな！」

と大声で叱った。昌吉の口調には叱りながら哀願し、哀願しながらうろたえる、そんな感じがあった。しかし、孝の方はいきなり抱き上げられたので更に怯えて、ますます大きな声になった。

「こわいよう！　お家へ帰りたいよう！」

昌吉はすっかり狼狽してしまい、泣き声が外に洩れるのを怖れたのだろうか、空いている方のあの薄い手で孝の口を押え部屋から木工場へ飛び出して行った。

やがて、木工場の奥の隅から孝の声がベッドに倒れていた利雄に聞えてきた。

「痛いよう！　痛いよう！　痛いよう……」

その声は次第にかぼそくなり、やがて激しさを増した雨音に溶けていった……

「そうですねえ、あれから二十四年経ったのですねえ」

桑原修道士は、事務室の壁に下った「十五番松尾昌吉」の木札を見ながら言った。

「しかし橋本君、あの嵐の夜、本館の宿直室へあなたが裸足で駆けこんで来たときはびっくりしましたよ。それにしても松尾君は可哀相なことをしましたね。あれからすぐ判決が下りて、十年以上も牢に入って、とうとう刑が執行されてしまいました。そういえば、今年が七回忌になります」

利雄は桑原修道士の話を聞きながら、松尾昌吉が逮捕されるときの光景を思い出していた。

桑原修道士の通報を受けた刑事たちが、木工場へ駆けつけたのは、嵐も峠を越した午前二時過ぎだった。昌吉は木工場の隅で身動きもせず蹲っていた。刑事が近づくと、昌吉はふうっと立ち上り大人しく両手を差しだした。昌吉の手の中にはくしゃくしゃに握りつぶした例の履歴書があった。

昌吉の立った跡に、ナザレト・チームのマスコット・ボーイのユニフォームを着た孝が、白い顔を鋸屑の中に埋めて息絶えていた。

利雄が桑原修道士に連れられて木工場へ入っていこうとしたとき、引き立てられて行く昌吉とすれ違った。二人の眼が合った。利雄はその瞬間の昌吉の眼をいまでもはっきりと想い出すことができる。それは誰を見ているともない虚ろな眼だった。昌吉の眼は、あのとき、いったい何を見ていたのだろうか。

……風が吹いて、壁の木札が揺れ動いた。古びた木札の触れ合う音が、利雄にはかつて仲間だった孤児たちのざわめきのように聞えた。その中には笑い声もあったが、十五番の木札からはなんの声も聞えてはこなかった。

汚点《しみ》

弟の、その葉書の文面はいつもと大差はなく、「元気ですから安心してください」とまず輪郭のはっきりした字で始まり、「さっき、ラーメン屋のおじさんが酒を飲んでいるうちに、ぼくのことでおばさんと喧嘩になり、おばさんを三つか四つぶちました。おじさんはぼくのこともぶってやりたい、といっていました」と続いていた。弟はそのとき、岩手県南部の小都市のラーメン屋康楽に、ひと月千円の食費をつけて預けられていた。母はその千円の工面がつかず、滞納を続けているらしかった。弟はそのせいで厄介者扱いをされかかっているのだろう。「母ちゃんからは手紙も葉書もずうっときていません」このあたりから鉛筆の字がすこしずつ小さくなっていった。葉書の余白の残り少ないのに気付いて慌てている弟の様子が目に見えるような気がした。

母から音信がないのはぼくも同じことで、そのころ母は、弟と住み込んでいたラーメン屋康楽をひとり出て、製鉄業と漁業とで大した景気らしいという噂に縋《すが》って岩手県東海岸の港町へ流れ込み、屋台の飲み屋を始めたばかりのところだった。

筆まめな母が弟やぼくに便りをくれなかったのは、生れてはじめての酔っぱらい相手の商売をなんとかやりこなそうと、そのことで頭もいっぱい手もいっぱいだったからだろう。弟にそのへんのことをもう一度くわしく書いてやらなくてはと思いながら、ぼくはその先を読んだ。末尾の文章はさらに細かい字で、「かならず手紙をください。かならず」と彫りつけるように力をこめて書いてあった。

汚点《しみ》さえなければ、それはいつもの通りの葉書だった。

零《こぼ》れ落ちたラーメンの汁か、垂れ落ちたレバー煠《いた》めの汁か、それはむろん分らなかったが、淡い黄褐色の汚点《しみ》を数個ばら蒔《ま》かれた葉書は、はじめは南太平洋地図のように見えた。オーストラリア大陸そっくりの大きな汚点の上方に、ソロモン諸島やサモア諸島と見合ういくつかの小さな点々。しばらく見つめていると、出し抜けに南太平洋地図は大小の黄信号の群れに変り、「おまえの弟になにか起ろうとしているぞ、辛いことが起ろうとしているぞ」と、ぼくに警告を発しはじめた。

弟は食費千円の少年下宿人から少年店員あるいは少年出前持ちに格下げされ、料理の汁の乱れ飛ぶ店のカウンターあたりで、葉書を書かなくてはならない身の上になってしまったのではないだろうか。汚点の中に、身長の半分ほどはたっぷりある出前用の岡持ち箱を細い腕で引き摺って歩く弟の姿が浮かび上った。夜の闇の中から、野良犬が数匹あらわれて、出前持ちに牙を剝《む》く。少年は立ち竦《すく》み、岡持ちを取り落す、がちゃん！……

……ダニエル院長がストーブに薪を焼《く》べ、がちゃんと音をさせて蓋を閉めた。それから、葉書を見詰めたままで、いつまでも事務室から出て行こうとしないぼくを見て、

「どうかしましたか？」

と、声をかけた。

孤児院で働く他の修道士たちの話によると、このダニエル修士は、かつて母国のカナダで、大いに行く末を嘱望《しよくぼう》されたオルガン奏者だったそうだ。ある時、ある演奏会でバッハを弾いている最中、突然、オルガンの鍵盤の上に神の御子キリストを視、そして宙に、主からの召し出しの声を聴き、演奏を途中でやめ、会場から真直ぐにキリスト教学校修士会という修道会を訪れ、それっきり俗世との縁を断ってしまった。

ダニエル修士が、この東洋の島国に孤児院を建てるためにやって来たのは戦前のことだが、すぐ大戦が始まり、修士は、他の外人神父や修道士たちと共に、仙台市郊外の収容所に叩き込まれてしまった。修士は収容所で五年間、戦闘機の翼の木組みを作らせられたそうだ。つまり、日本軍は外人の作った翼で外人と戦っていたわけだ。もっとも最後の一年は木組みを組むにもその材料がなくて、工場で豚を飼育したらしい。戦さが終

って釈放されるとすぐ、修士は収容所跡を払い下げてもらい、そこに一棟の修道院と、二棟の孤児院を建てた。この孤児院がナザレト・ホームで、その収容児童のひとりがぼくだった。

「なにかあったんですか？ なにか悪い報せですか？」

ダニエル院長はストーブの傍から執務机に戻り、机上に肘をついて白く細く長い指を組み合せ、その上に尖《とが》った顎を載《の》せ、ぼくを下から眺めあげた。

弟が苦労しているらしいんです、はっきりしたことはわかりませんが、そんな気がするんです、とぼくはいった。

「そういわれても無理なのです」

修士は先回りして釘をさした。

「孤児院《ここ》の定員は三十五名です。ところが今は四十一名もいます。廊下にはみ出したベッドで寝ている子が六人もいるんですから」

それはよく知っています、とぼくは応じた。ぼくもその廊下にはみ出したベッドで寝ている六人のうちのひとりですから。

「そうでしたね。それから見てください、このたくさんの入所申込書を……」

修士は机上の籠の中から一束の書類を取り出し、ぼくに示した。

「……交通事故で両親をなくした小学四年生。再婚した母親と新しい義父に反抗して不良とつき合っている中学三年生。進駐軍将校に貰われて行ったがその将校が朝鮮で戦死したので再び孤児になってしまった小学五年生。母親に死に別れ父親も病気になって入院し親戚を盥回《たらいまわ》しにされている中学生……」

よくわかりました、とぼくはいった。書類を全部読んでくれなくても事情はわかっています。ぼくは顔の筋肉を無理に動かして笑顔を作りながら事務室を出た。背後で、ダニエル院長がこう独り言をいうのが聞えた。

「もっとお金がほしいものです。金があればいくらでもベッドはふやせます。天主様に祈るほかありません。もっとも、天主様に祈っても、あの方はお留守の時が多いのでねえ」

事務室の隣りは、ぼくらの勉強部屋で、さして広くもないところに、勉強机が四十も詰め込まれていた。そのために通路は自然なくなってしまっていて、窓際のぼくの机に辿《たど》りつくには、他の子の椅子から椅子へ飛び石伝いに跳んで行かなくてはならなかった。弟のことが頭を占領していたせいか、ぼくは途中で足を踏み外して転倒し、その勢《はず》みに、机をひとつひっくり返してしまった。机の中のものが床の上に散らばった。

「おお、よくやってくれたな」

窓際で日向ぼっこをしていた数人の高校生たちの中のひとりが絡《から》みつくような口調でいった。顔を見ないでも声の主が誰かは分った。ぼくたち中学三年生を目の仇にしている船橋という高校二年生に違いなかった。

ぼくが慌てて床の上に散らばった教科書や文房具を拾いはじめると、船橋はにやにやしながらいった。

「何の上に何があったか、何の横に何があったか、おれはちゃんと覚えてる。元の通りにしろ。何ひとつ間違えるな」

「すみません」

ぼくはいつでも逃げ出せるように身構えながら頭をさげた。

「元の通りにしますから、何がどこにあったか教えてください」

ぴしッと鋭い音がしてぼくの左頰が痺《しび》れ、すぐかっと熱くなった。逃げ出す隙などまるでないほど素早く、ぼくは左頰に平手打を喰っていたのだ。船橋といつも一緒に行動している斎藤という高校二年生が、二発目の平手打を繰り出そうとしていた船橋を制した。

「見つかるとまずいぜ。今夜やろうよ」

船橋は頷いて、ぼくの襟首をぐっと締めあげた。

「今夜、消燈後、中学三年生は全員、風呂場に来い。みんなにも伝えておけ」

そのとき、孤児院に高校生が五人いた。五人とも昼間は近くの進駐軍キャンプの中のパン工場や、孤児院付属の木工場で働き、夜になると定時制に通っていた。それがそれまでの孤児院の規則だった。ところが、ぼくたちが高校を受験する年から、月謝の安い公立高校に合格したらという条件つきで、昼間部に通ってもよい、と規則が変ったのだ。高校生たちが口惜しがって、ぼくら中学三年生を苛《いじ》めたくなる気持も理解できないことはなかった。

しかし、これは院長が決めたことで、ぼくらにその責任はなかった。でも、高校生たちに言わせると、ぼくらが昼間の高校に行きたい、と機会あるたびに、院長の前で物欲しそうな顔をしたのがいけない、というのだった。

「院長に断わりに行け」

船橋はぼくらを叩きのめした後、かならずそう脅迫した。

「これまでの高校生と同じように、昼は働いて夜の高校へ行きます、と院長に申し出ろ。そしたらもう殴ったりしないぜ」

ぼくは全日制の高校に入れるかも知れないと聞いて、この孤児院に無理矢理もぐり込んだのだった。定時制へ進むぐらいなら孤児院へは来なかったろう。母と一緒に暮しながら夜間学校へ通った方がよほどいいに決っている。ぼくら三人の中学三年生は同じ考えだったから、たとえ口が裂けても、院長にそんなことは申し出ないと、殴られて裂けた口でいいはった。

船橋はそのたびに半分狂ったようになり、

「おれは全日制の高校に入ってバスケットをやりたかったんだ。おれの行っている夜間高校にはバスケット部がないんだぞ」

と、ぼくらに激しい平手打を見舞った。

船橋は背丈が一米九十糎もあった。全日制へ行けなかったばかりにバスケットをやれない、と狂う気持もまた分らないことはなかった。船橋ほどの上背があれば、きっとバスケット部の花形になれるにちがいない。

弟からの葉書の気になる汚点、そして、また痛い目に逢わなくてはならないという、考えるだけでも鼻の奥が焦臭《きなくさ》くなるような恐しさ。心配事をふたつも背負い込み小さくなって、ぼくは窓際の机にようやく辿りついた。

ノートを破いて「葉書をありがとう」と返事を書き出したが、その後が続かなかった。諦めて鉛筆を放り出し、窓の外を眺めた。

窓の外は芝生の坂になっている。急な傾斜の長い坂だ。坂が尽きると石垣がある。この石垣も十米はある。この石垣までが孤児院の敷地で、石垣の下は公道だった。孤児院の建物と公道との高さの差は、三十米はたっぷりあった。だから、孤児院からの眺めはすばらしくよかった。

公道の向うに住宅街がひろがっていた。その更に彼方に進駐軍キャンプが見えた。この眺めを上下ふたつに截断するように横一文字に一本の銀色の線が走っていた。それは仙台から北へ向う東北本線のレールだった。微かに汽笛が響き、右手仙台駅の方角から、黒い條虫《さなだむし》のような長距離列車が現われた。列車はのろのろと銀色の線の上を這い、数分はたっぷりかけながら、視界を左へ横切っていった。それをぼんやり眺めながら、ちょうどその一カ月前の正月休暇に、ラーメン屋康楽のある町へ帰ったときのことを、ぼくは思い出していた。

その小都市は、北上川に注ぐいくつかの支流の合流点に跨《また》がっていた。それらの支流は町に数え切れぬほどの恩恵を施し、そのために町は栄えた。ところが年に一度か二度、雨台風がこの町の上を通り過ぎるたびに、これらの支流は水で膨れあがり、町を水浸《みずびた》しにしてしまい、それまでの善行を台なしにしてしまうのだった。この水浸しの年中行事をやめにするために、大がかりな護岸工事が始められた。一時は人口六万のこの町に一万人近い労働者が集まった。

川に沿った工事現場に飯場が立ち並び、それら飯場に沿って、労働者相手の飲み屋や食い物屋が店開きした。飲食店のほとんどは、三軒が一棟のハーモニカ長屋の体裁、階下が店で、階上が住いになっていた。母が弟を連れ、女子店員として住込んでいた康楽も、こうした中の一軒で、入ると四坪の土間、カウンターの向うが二坪の調理場、階下は後にも先にもそれだけ。絶壁を攀《よ》じ登るような感じの急な階段を上ると、階上に六畳が二間ある。

ぼくが孤児院に預けられたのは前の年の九月だったから、母や弟に逢うのは四カ月振り、勢いよく表戸を開き、

「こんにちは」

と、声をかけたら、テーブルに頰杖ついて居眠りしていたおばさんが、びっくりしたように立ち上って、

「いらっしゃい!」

カウンターから水の入ったコップを運び、呆《あき》れて突っ立っているぼくの前のテーブルにとんと置いた。髪の毛をタオルでターバン巻きにし、耳に煙草をはさみ、薄汚れたエプロンのポケットに詰め込めるだけマッチを詰め込んだおばさん。それが母だった。嬉しいような情けないような気持でただ立っていると、母も驚いたらしく、しばらく口を開けたり閉じたりした。そしてようやく、

「よくきたねぇ。なんか温かいものでも食べる?」

と、訊いた。ぼくが首を横に振ると、母はカウンターから調理場へ、「旦那さん、息子が帰って来たんですよ」と叫んだ。カウンターの小窓から、色白の細面の男が小皿で汁ものの味見をしながら顔を覗かせ、大して興味もなさそうに上目遣いでぼくを見た。彼が康楽の主人らしかった。ぼくが頭を下げると、彼は舌を鳴らした。なにか舌打ちされても仕方のないことをしてしまったのだろうか。そう思ってまごまごし、そのうちや

っと彼は舌打ちをしていたのではなく、舌鼓を打っていたのではないかと考えついた。考えついたときはもう、彼の顔は消えていた。

そのとき、表戸が開いて、弟が入ってきた。霜焼の手に葱《ねぎ》の束を下げていた。弟はぼくを見てにやっと笑った。ぼくも笑い返した。弟の後から、野菜をぎゅっと押し込んだ買物籠を持った女の人が入ってきた。整った顔立ちだが、唇が薄く、冷たい感じの女だった。

「おくさん、息子が帰ってきたんです」

彼女はぼくの会釈に「いらっしゃい」と答え、それから母に「おばさん、二階をお使いなさいよ。いろいろ話があるだろうから」といって調理場へ入った。

「二階を使いなさいってどういう意味だろう?」

二階に上ってから、ぼくは母に尋ねた。

「二階の二間のうちのどっちかが、母さんたちの部屋じゃないの?」

「ここには旦那さんのお母さんも一緒に住んでいるのよ。旦那さん夫婦で一部屋、おばあさんが一部屋。これで二階はいっぱい」

「じゃぁいったい、母さんたちはどこで寝ているの?」

「それはいまにわかるわよ」

そういって母は弟と顔を見合せ、笑い合った。階下に客の気配がした。濁《だ》み声や胴間声や塩辛声、客はかなり大勢のようだった。母は柱時計を見上げ、もう五時過ぎだわ、早番の人たちが引き揚げて来たらしいね、といいながら立ち上り、エプロンの下に右手を差し入れ、帯の間から細く畳んだ千円札を一枚取り出した。

「二人で映画でも見ていらっしゃい。これから店が忙しくなるから、母さんはあんたたちの相手が出来ないのよ」

そのとき、主人の怒鳴る声が下から飛んできた。癇癖《かんぺき》のある尖《と》んがった声だった。

「おい、いつまでお客さんを放っとく気だ！　子どもはいくら待たせたって逃げっこねぇが、お客さんは他所へ行っちまうぜ！」

母は陽気な声で、ハイハイハイと答え、ぼくらに舌をぺろっと出して見せてから、階段を降りていった。

ぼくは後生大事に抱えてきたズック鞄から、きれいな罐に入ったキャンディやチョコレートやトランプや鉛筆を出して、弟の前に並べた。ぼくら孤児院の子どもたちはクリスマスに進駐軍キャンプに招待されたが、そのとき貰ったものをひとつ残らず貯めこんで置いたのだ。弟は目をまるくして、あれからこれ、これからあれと、かわるがわる手に取りながらいった。

「ぼくも孤児院に行きたいな」

「ばかいえ。母さんと一緒が一番いいぞ」

「そうかなぁ……」

弟はいっぺんに二十も三十も年をとってしまったように、分別臭い調子でいった。それからぼくらは映画へ行くために、店を通って表へ出た。店では、男たちが母の腰や肩に手を回してはやくも飲んだくれていた。ぼくはそのときようやく、弟が「そうかなぁ」といっていたことの意味に思い当って、心に錐《きり》を刺されたような痛みを感じた。

その二年ほど前にも似たような思いをしたことがあった。そのころ、ぼくらは山形県の南部の小さな町で暮していた。あるとき、父を失って数年間孤閨を守っていた母の前にひとりの旅回りの浪曲師が現われ、いつの間にか、家に入り込み、ぼくらと一緒に暮しはじめた。男がときおり、母を殴ったり蹴ったり張り倒したりするとき、やるせなくて口惜しくて居ても立ってもいられなくなったものだった。かけがえのない自分の母親が、他の男にとっては雌でしかないと気づくことぐらい、男の子にとって、忌々《いまいま》しい話はない。浪曲師は一年半ほど母と暮した後、母の所有していたあらゆる財産を巧妙に巻きあげて、わが家から遁走した。そして、そのとき以来、ぼくらは東北のあちこちを転々と移り住むことになったのだった。

ところで、康楽は三交代制で堤防工事に当る労務者たちに合せて、ほとんど夜通し店を開けていた。調理場の方は、主人夫婦が交代で働いていたが、店の方は母がひとりで受け持っていた。その日、映画から帰って銭湯に行き、それでもまだ店はしまらず、仕方なしにぼくと弟は、隅のテーブルで何回も何回もトランプをした。トランプをしながら、ぼくは欠伸《あくび》をし、居眠りをした。弟は夜の遅いのには慣れているらしく、冴えた手を連発した。明け方の五時近く、ようやく客足が途絶えた。ぼくらは店を掃き、テーブルを拭いた。母と弟は店の壁際に店の中のテーブルを一卓残らず寄せて並べ、三帖ほどもある板の間をこしらえた。板の間が出来ると、弟は二階から布団を投げ下ろした。母が受けとめ、板の間に敷いた。

「そうか、店に寝るわけか」

「そうよ、お昼ごろまでたっぷり眠れるわよ」

母は、さあどうぞ、と俄《にわ》かづくりのベッドを軽く叩いてみせた。

「早くおやすみ」

「寝相が悪いと大怪我をしそうだな」

ぼくはベッドの上に横になったものの、床からの高さにすこしびくついた。

「下はコンクリだ。頭を打ったりしたらどうするの？」

弟がロープを手に階段を下りながらいった。

「大丈夫だよ、兄さん、ロープでテーブルごと軽く身体を縛って寝るんだから」

それでもやはり安心できなかった。ぼくは壁際で寝ることにした。壁には映画のポスターが貼ってあった。それは「善魔」という映画の案内で、「二十一世紀型の男性美を誇る三国連太郎、堂々銀幕を圧して水爆的誕生！」とあった。ぼくはその二十一世紀型の美男スターを見上げた。真下から見ると彼はまるで平べったくて二十一世紀というよりは二十二世紀型の不美男スターといった感じだった。やがて、胸が重くなった。弟がぼくの胸の上に両手を載せ、軽やかな寝息を立てているのだった……。

後から肩を叩かれて、ぼくは、ひと月前の康楽から、孤児院の勉強部屋へ舞い戻った。振り返ると、同じ中学三年の小川と佐久間が立っていた。

「今夜、また呼び出しなんだって？」

小川が低い声で訊いた。ぼくは頷いて、すまないな、といった。ぼくがへまをしたおかげで、今夜は地獄だ。

「それはお互いさまだからいいよ」

と、佐久間がぼくを慰めた。それは佐久間のいうとおりだった。高校生たちは、中学三年生のだれかひとりがなにか仕出かすと、その過ちはだれそれひとりのせいではなく中三全員の責任だなどといって、ぼくら三人に制裁を加えてくるのだった。小川が仮病をつかって学校をさぼったために、三人そろって鬢打《びんた》をくったことがあった。同級生の怠け心を黙って見過すのは同罪だというのが、その理由だった。佐久間が朝もらった弁当を朝のうちに喰ったら、また三人が殴られた。腹こわしたらどうする、やめろというのが友情だろう、と高校生たちはいうのだ。

「このままじゃあ殴り殺されてしまうぜ。そこで相談があるんだ」

小川と佐久間は、おれたちが黙って殴られているからいけない、と主張した。

「船橋をやっつけちゃおうよ」

ぼくは反対した。船橋は一米九十糎、図体がでかい。おまけに小学六年生まで上野で浮浪児をやっていて、そのときも浮浪児仲間のボスをしていたほどの豪の者で、ボクシングだって心得ている。でかくて強くて場数を踏んでいるのだ。ぼくらがかなうわけがない。

「やるだけでもやってみようぜ。三人でわーっと飛びかかろう。どっちにしろ殴られるんだ。いつまでもただ殴られているのはつまらないよ」

二人は熱心だった。ぼくは自信はなかったが賛成した。それから泥縄だったけれども、そのへんを駈け回ってトレーニングをした。

九時半、孤児院の灯りが消えた。ぼくたちは興奮の余り歯をガチガチ鳴らしながら、講堂の奥の風呂場へ向った。風呂場はダニエル院長の部屋とは正反対の方向にあった。少しぐらい騒ぎ立てても聞えはしない。船橋たちはむろん、それを計算に入れているのだ。

風呂場は、六帖ほどの脱衣場と同じ大きさの流しにわかれている。ぼくたちが入って行くと、脱衣場と流しとをへだてているガラス戸は取り払われていた。殴られたぼくらがその勢いで戸にぶつかり、ガラスがこわれたりしないようにといういやな配慮がしてあるのだ。

「よう、きたな」

脱衣場の真中に突っ立っていた船橋がいった。斎藤もいた。そして、ほかにもう二人。

「今日は日曜の安息日だ。神様でさえ仕事をお休みになる日だから、おれたちも軽くすませるつもりだ」

船橋は恩着せがましく言い、ぼくに一歩前に出るよう命令した。ぼくは遠慮して半歩しか出なかった。

「全日制は諦めな。おれたちと仲よく、昼は働き、夜は勉強、とこう行こうじゃないか」

ぼくたちは、せっかくですがお断りします、と表情で応じた。つまり、ちょろりと舌を出したのだった。船橋たちは、ぼくたちがいつものような大人しい小羊とはまるで違う、図々しい古狸とでもいった態度をとったので、さすがにすこし驚いたらしく、一瞬、互いに顔を見合わせあった。

「こいつら、やる気らしいぜ」

ぼくたちはこの隙につけ込み、船橋の腰に組み付いた。けれども、ぼくたちの反抗は簡単に鎮圧されてしまった。船橋はぼくたちを腰にしがみ付かせたまま、いきなり湯槽に飛びこみ、上からぼくたちの頭を微温湯《ぬるまゆ》の中に押し込んだのだった。ぼくたちはたっぷり小便臭い湯を飲んだ。

「どうだ！　おれたちの言うことを聞くか！」

小川も佐久間もついに、お湯を吐きながら、昼間の高校を諦める、と船橋に約束した。だが、ぼくはどうしても諦められなかった。

「勝手に強情を張ってろ」

船橋は湯槽から上り、斎藤から受け取ったタオルで軀を拭きながら、ぼくに言った。

「いつか必ず降参させてやるからな」

その夜から、ぼくは風邪を引き、三日間、廊下のベッドに寝込んだ。熱でうなされながら、ぼくは三日間がかりで弟に返事を書いた。まず、母から音信がないのは淋しいだろうが、我慢するようにということ。それから、お互いに他人の厄介になっているのは辛いことだが、ただただ辛抱するほかないということ。もし、歯が痛み出したら、聖アポロニア様の名を十回となえればよい、ということ。聖アポロニアは歯を守る聖人であること。いま、孤児院ではローラー・スケートが大流行中であること。ローラー・スケートを寄付してくれたのは進駐軍キャンプの兵隊たちであること。皆は講堂や廊下でローラー・スケートを乗り回していること。兄さんは風邪を引き廊下に置いたベッドで寝ているけれど、ローラー・スケートの凄まじい音できんきん耳鳴りがして困っていることなど。

　手紙を投函して四日目に、弟から葉書が届いた。やはり汚点《しみ》がついていた。それもただの汚点ではなく、長さ一糎ほどのラーメンの切れっ端が、葉書の隅に平べったく押し潰されてこびりついていた。ぼくが怖れていた通り、弟の身分は下宿人から使用人に変っていた。

「……ぼくは出前に出たり、店で働いたりしています。ラーメン屋のおじさんは、ぼくが店の手伝いをするようになったら、とてもきげんがよくなりました。昨日、おじさんは歯が痛くてたまらんといっていました。それで聖アポロニアの名前を十回となえるとなおる、と教えてやりました。でも、十回となえてもなおらないので、おじさんは、ぼくを、ぶってやりたいという顔をしていました」

　ぼくはすぐ、母にあてて、かなりきびしい詰問調の手紙を書いた。

　——弟は康楽で働かせられているようだが、母さんから康楽の主人に、月千円の弟の食費が送り届けられているだろうか。もし、商売がうまく行かず、その余裕がないのなら、弟を直ちに母さんの許へ引き取るべきではないか。康楽の主人は、なぜだか、弟をぶちたくて仕方がないようだから、一分一秒も早く引き取ってほしい。

一週間ほどたった頃、母と弟から同じ日に便りが届いた。母の手紙のだいたいの意味はこんなところだった。

——十日ほど前にひと月分の食費を康楽に送ったが、あの子が働かせられているとは思ってもいなかった。辛いやら情けないやらで、やきとりの材料を仕込みに行く気力も失せ、とうとう一晩、店を出せないでしまった。もちろん、あの子を連れてこっちへ来たかったのだけど、やきとり屋台一式と営業権を買い取るためにどうしても、一万円必要で、その金を貸してほしいと康楽の主人に拝んで頼んだら、その条件が月一割の利子に、あの子を康楽に置いて行くことのふたつ。康楽の主人は借金を踏み倒されるのを恐れて、あの子を人質にとったわけなのだよ。これからも死にもの狂いで働くつもり。客が寄りつかないなら、手を引っぱってでも連れてくるつもり。借金は三カ月で返せると思うから、おまえからもあの子を励ましてやってほしい。

弟からの葉書にはまた汚点《しみ》があった。所書きの斜め上方に、大きさ五粍《ミリ》四方の緑の点があったのだ。小学生から虫眼鏡を借りて、詳しく調べたところ、それは、韮《にら》の細片だった。弟は韮の細片の散らばったカウンターの上で、出前や店の仕事の暇を見て、ぼくに葉書を書いたのだろうか。

しかし、弟の筆蹟は元気よく跳ねていた。

「母ちゃんから手紙がきました。うれしくてなりません。母ちゃんがむかえにくるまで、ぼくは元気でがんばります。今日、どんぶりを四つ割ってしまいました。ラーメン屋のおじさんは、ぼくをぶとうとしました。でも、ぼくはうまく逃げました。安心してください。では、かならず手紙をください。かならずです」

康楽の主人はいよいよ弟をぶつことに決めたようだった。母が迎えに行くまでにはまだ三カ月も間がある。その間《かん》、弟は康楽の主人の拳骨から無事に逃げおおせることができるだろうか。ぼくはこの問いに「無理だろう」と自答し、自分で出した答えに気を滅《め》入《い》らせた。

二月末の日曜日の午後、孤児院の長い急な坂道を、草色の大型バスが二台、登ってきた。進駐軍キャンプのカトリック信者将校たちがぼくらを慰問にやってきたのだった。ぼくらの孤児院に慰問バスや見学バスがやってくるのは珍しいことではなかった。特に頻繁に訪れるのは中年婦人の団体だった。彼女たちは乾パンか、せいぜい花林糖ぐらいを手土産にやってきて、ぼくらから不幸の匂いを嗅ぎ出すのを楽しみにしていた。「お父さんもお母さんもなくなったの？　まあ、可哀そうねえ！」「両親が別居？　それは大変ねぇ！」「継父《おとう》さんに苛められた？　おやおや、ひどい男ね！」彼女たちは何十万円もする着物の生地を眺めるときのような嘆声を洩らし、ぼくらの不幸を観賞して帰って行く。

それに較べると米軍兵士の慰問は、ぼくらの趣味にじつによく合っていた。彼等のバスはまず玩具箱のようであった。新品のグラヴやミット、ローラー・スケートに衣料品、ビンゴゲームや簡易ボウリング・セット、模型飛行機やシェパードの小犬、映写機に漫画映画のフィルム、卓球台に木工道具などがバスの中から飛び出してきた。バスは時にはコックを乗せてくることがあった。もちろん、七面鳥やアップルパイやアイスクリームやケーキにコックがついてくるのだ。さらにあるときは、芸人や歌手たちが訪れた。ぼくらは狭い孤児院の講堂で、「スワニー」を歌うアル・ジョルスンの唾《つばき》を浴びたり、ボブ・ホープのしゃくれた顎を眺めたりした。

講堂に将校たちが入ってきた。それぞれ、腕にボクシングのグラヴをぶら下げていた。それから眩しく光る大小のハーモニカ。

将校たちが何か言うたびにダニエル院長が通訳した。

「今日はボクシングのグラヴやハーモニカのほかに、将校たちはもうひとつ、すばらしいプレゼントを持ってきてくださいました」

それから、院長は小川と佐久間とぼくに、前へ出るようにいった。

「あなたがたのために、将校たちは四五〇ドル寄付してくださいました。これはあなたがた三人が三年間、公立の高校へ納める月謝の合計額とほとんど同じくらいのお金です。

あなたがたはもう月謝の心配いりません。そして、もっとすばらしいことに、進駐軍キャンプがあるかぎり、毎年、公立高校へ進学する子どもに、三年間の月謝を寄付したいと、将校たちがいってくださっています。さあ、三人の中学三年生、みんなにかわって礼をいいなさい」

ぼくは将校たちの前に進み、ひとりひとりと握手をし、通じるかどうか心もとなかったが、サンキューといって回った。小川と佐久間はためらっていた。二人とも背中に船橋たちの視線を感じ、その視線で金縛りになっているらしかった。

「小川！　佐久間！　どうしました？」

小川がぼそっといった。

「ぼくは働きながら夜間へ通います。佐久間も、ぼくと同じ考えです」

佐久間もしぶしぶ首を縦に振った。

「わかりませんね。なぜ、急に考えを変えたのですか」

二人は、なぜだかわかりません、ただ、そう決心したのです、と口の中で答えた。将校たちがダニエル院長に、自分たちのプレゼントがなぜこのような冷淡な受けとられ方をしなければならないのか、そんな意味のことを訊いた。院長はよくわけのわからないまま、あの二人はたいへんな独立心の持主でありまして、というようなことを答えたようだった。すると、将校たちは小川と佐久間に拍手を送り、握手を求め、二人の独立心を称え、それからさっきとは打ってかわった冷たい目つきでぼくを見た。それはぼくが独立心に欠けていることを非難している目つきだった。

こうして、小川と佐久間の三百ドルは翌年度の公立学校進学者のために、院長が保管しておくことになったのだが、それから、高校入学試験の前日までの一週間、妙なことばかり起った。

まず、将校たちが帰ったあとすぐに、事務室の机の上から、寄贈されたばかりのハーモニカ、それも、最も高価なコード・ハーモニカが消え失せたのだった。ダニエル院長は事務室のすべての調度をずらし、動かし、隅々まで探した。船橋たちが院長に進言し、収容児童全員のベッドとロッカーが調べられることになった。ハーモニカは、ぼくのベッドのマットレスの中に隠されていた。院長はとても信じられない、というようにぼくを見つめた。ぼくも同じ目つきで院長を見た。しばらく見つめ合いが続いた。やがて院長は首を振って呟いた。

「なにがなんだかよくわかりません」

ぼくには船橋たちの仕業だと見当はついていた。しかし、黙っていた。証拠はないのだし、受験をすぐ間近に控えて、事を大きくしたくはなかった。なによりも、公立高校へ入学することが先だった。

翌日は、近くの果物屋のおばさんが、息せき切って血相かえて、孤児院の坂を駈けのぼってきた。ぼくは勉強部屋からおばさんを見つけて、何を慌てているのだろうかと訝しく思った。それから、ぼくはおばさんの一人娘のことをちらッと思い浮べた。その子はぼくらと同じ中学三年生で、学校の廊下でよく顔を合せた。ほっそりしているがやわらかな軀つきをしていて、行き交うたびに、微かに甘くて温かい風の立つのを、ぼくは感じていた。果物を買い喰いする余裕などは全くなく一度も店内に入ったことはなかったが、店の前を通るたびに、ぼくら孤児院の中・高校生は、必ず店内を窺《うかが》って、彼女の姿をたしかめるのだった。つまり、彼女は家庭的な雰囲気を持っていて、孤児好みの子だったわけだ。

（女の子のことなど考えているときじゃない）

ぼくは受験参考書に心を集中した。

（女の子のことは高校に入ってから、いやというほど考えよう）

ところが、数分後、ぼくは事務室に呼びつけられ、いやというほど、彼女のことを考えなくてはならないことになってしまったのだ。

ぼくが事務室に顔を出したとき、ダニエル院長とおばさんの間で問題になっていたのはノートの切れっ端だった。

「この下らない言葉は、いったい、あなたのどこを押せば出てくるのでしょうか」

院長は、問題の紙片を指先でつまみ上げ、ぼくの目の前で、ゆっくりと左右に振った。

おばさんは、ただぼくを睨《にら》みつけていた。院長は紙片をぼくの鼻の先まで近づけ、大きな声で読みなさい、といった。紙片に記された文章の初めの三分の一は、あの子がどんなにすばらしい女の子であるかを立証することに重点がおかれていた。中ほどの三分の一は、あの子と結婚したらどんなに仕合せかということが、いきいきと書かれていた。ここまではぼくも同意見だった。残りの三分の一で、ぼくはまるでわけがわからなくなった。そこでぼくが読んだのはぼく以外のだれかがぼくになりすまして、ぼくのことを書いた文章だったのだ。それは、偽ぼくから果物屋の娘へあてた恋文だった。郵便受に押しこんであるのを、おばさんが見つけたのだという。

「それにしては、ぼくの字とちっとも似てませんよ」

すでにそのとき、院長は、この事件が前日のハーモニカ事件とごく類似の意図と構造を持っていることに気づいていた。

「……彼が犯人ではないらしいです」

院長は、おばさんを玄関から送り出しながらそういい、「真犯人をつきとめて、厳重に反省させます」と約束した。おばさんは、ぼくらを振り向き、振り返りして、浮かぬような解《げ》せぬような顔で、坂道をくだっていった。

「あなたには心当りがあるはずです。いったい誰です？　あなたを悪人にしようとしているのは……？」

よい家に生れ、音楽を愛し、天主の御旨《みむね》が天において行われるように地にも行われている、と信じている院長には、船橋たちがなぜそこまで執拗なのか、ぼくがなぜ知らぬふりを通そうとするのか、たとえ説明してもわかってもらえそうもなかったから、ぼくはただ、さあ、と首を傾《かし》げてみせた。院長は肩をすくめた。

入学試験の前々日、寒さがぶり返し、大雪が降った。ベッドに単語帳を持ち込み、布団をかぶって、暗記に精を出していると、だれかがやってきて、ベッドの前に立ちどまった。こっそり布団を持ち上げてみると、立ちどまったやつの膝から下の部分が、目の前にあった。ズック靴に「船橋」と名前が書いてある。焦臭《きなくさ》いものがつうんと鼻を衝いた。殴られ蹴られする前に、ぼくには必ずこの予徴があるのだった。殴られる瞬間のあの時間の長さ。どんなに素早く殴られても、あの一瞬、時の流れはずいぶんゆっくりとたゆたい、拳はのろのろと迫ってくるのだった。むろん、逃れられはしない。どのくらい痛いだろう？　このあいだぐらいか？　いやもっとずっと耐えられないぐらい痛いだろう……そんなことを凄い早さで自問自答しながら、ただ待っていなければならないのだ。胃の底のあたりにしゅうっと寒けがし、ついで吐き気がし、世の中がてんでんばらばらに思え出し、深い没落感に襲われる。あのいやな一秒。それがどうやらまたやってきそうだった。ぼくは素知らぬふりして、単語の暗記を続けていた。しかし、頭の中には、いつ来るか、どう来るか、このふたつの考えしかなかった。船橋はまだ凝《じ》っと立っていた。とうとう、耐え切れず、ぼくは布団から顔を出した。

「よう……」

船橋はぼくに笑いかけていた。

「な、なんですか……？」

「講堂へ来ないか？」

「なにしに……ですか？」

「遊ぶんだよ」

「……遊ぶ」

「そう。ひと汗かこうよ」

「で、でも、ぼくは憶えることがまだたくさん残っているんです。試験日は明後日《あさって》なんです」

「いっとくけどな、いまさら、何を憶えたって無駄だよ」

「ど、どうして？」

「おまえは試験には行けないね」

「なぜですか?!」

「おれたちが行けないようにしてやるからさ」

船橋は左手をぼくの鼻先にしゅっと伸ばし、右手で自分の口を保護した。それから、獲物に接近する毒蛇のように、しゅっしゅっしゅっと摩擦音を発しながら、ぼくの顔面の極く近くへ、数回、素速くジャブを送ってきた。

「べつにそう怖がることはないぜ。今日はグラヴをつけて殴り合うんだから。隙があったらおれはおまえに、グラヴを叩き込む。もちろん、おれの隙をついて、おまえも殴って来ていい。正々堂々と殴りあうんだ」

船橋はそういうと、一米九十糎の高さから、ぼくの襟首を摑みあげてベッドから引摺りおろし、講堂へ引っぱっていった。

講堂には斎藤たちが待っていた。彼等はぼくの両手にいそいそと、あの心やさしい将校たちが寄贈していったグラヴをくくりつけた。誰か止めに入ってくれないだろうか。周囲を見回したが、小学生たちが数人、見物人気取りで、生唾を飲みながら眺めているだけだった。船橋の様子を盗み見ると、彼はもう講堂の柱を仮想の相手に、下から、横から、正面から、続けざまにグラヴを繰り出していた。注射を受けようとする臆病な患者が、アンプルを切る注射準備中の医師からなかなか目を離せないように、ぼくも船橋から目を離せなかった。船橋の姿がぼくに迫り、遠のき、また迫った。すでにぼくは遠近感覚を失ってしまっているらしかった。

斎藤が笛を鳴らした。小学生たちが拍手をした。船橋がこっちを向いた。ぼくは後退した。「弱虫め！」斎藤たちが、ぼくの尻を足で蹴った。ぼくは前に出た。船橋の顔が目の前にあった。逃げ場はなかった。船橋の右手がちらッと動き、それを境に、時の流れがたゆたった。遠くから、ぐんぐん、グラヴが迫ってきた。待って受けるのが恐ろしく、ぼくはグラヴに左頰を寄せていった。寒けと吐き気と衝撃が同時に来た。痛くはなかった。ただ全世界を左頰で受けとめたという印象だった。済んでみればたいしたことでもなかった。全身に安堵《あんど》の思いがみなぎった。そのとき、思いもかけず、船橋の左が下からぼくの顎を突き上げて来た。すべてが遠のき、すべてが零になった……。

気が付くと、ぼくは講堂の床の上に伸びていた。手拭を扇がわりにしてぼくを煽《あお》いでいた斎藤が「あっ、気がついたぜ」といった。船橋がぼくの右手を引っぱって、助け起した。

「船橋のKO勝ち！」

と、斎藤は船橋の左手を高く掲げさせ、続けてこういった。

「続いて第二試合を始めます！」

ぼくは逃げ回った。「やめてください！」と叫んだが、口は乾き切って動かず、その叫びを聞いたのは、おそらくぼくひとりだったろう。講堂の廊下をダニエル院長の歩いて行くのが眼の端に入った。「先生ッ！」こんどは誰にでもぼくの叫び声は聞えたはずだ。院長はぼくらを見た。船橋たちが院長に笑いかけ、「ボクシングの試合をしているところです！」と手を振った。「おお、やってますね」院長も手を振って廊下を通り過ぎていった。と、同時に、船橋の右がぼくの腹にめり込み、ふたたび、あたりは零になった……。

ぼくがベッドに辿りついたのは、五回、床に倒れたあとだった。斎藤は第六試合はおろか第七、第八、第九までも続行しようと言い張ったが、船橋がやめるといいだしたのだ。

「そんなに全日制に行きたきゃ勝手に行け。おまえみたいに強情なやつ、見たことないぜ」

昼が少し裂けていた。左頬が重かった。鏡に写してみると、左頬は倍以上も膨れあがっている。たしかに、重いはずだ。絶えず吐き気がしたが、それにしてはさっぱりした気分だった。もう殴られることはないだろう。それがなによりうれしかった。水で濡らしたタオルを左頬にのせ、ぼんやり天井を眺めていると、ダニエル院長の顔が見えた。

「ずいぶんひどく殴り合いましたね」

「なんでもありません」

「たしかに、あれは試合だったんですね？」

「……そうです」

院長はしばらくぼくの顔を眺め回していた。それから、そうそう、あなたに便りがきてましたよ、とポケットから葉書を取り出した。

一目で、ぼくはその葉書が弟からのものだとわかった。葉書の四分の三が、ひとつの大きな汚点《しみ》で占められていたからだ。

「あまり元気ではありません。ラーメン屋のおじさんが、母ちゃんの悪口をいいました。それでぼくは、おじさんにバカといいました。おじさんは、ぼくをぶちました。……つらいけどがまんします。さようなら」

その大きな汚点からは、あの焦臭い匂いが立ちのぼっているように思われた。母が迎えに行くまでにはあと二カ月以上も間があるはずだ。その間に、弟は何回、焦臭い匂いを嗅がなくてはならないのだろうか。

その時、院長がようやく合点がいったように、こう叫んだ。

「ハーモニカ事件も恋文事件も、みんな船橋君たちが仕組んだことではありませんか?!それから、小川君と佐久間君が将校たちの好意を断ったのもみんな……」

「院長先生。ぼくも全日制へ進むのはやめます。昼は働いて、夜の高校へ行きます」

院長は話の腰を折られた上、ぼくが突然、これまでと違うことをいいだしたので、ずいぶん驚いたらしく、息をのんで、ぼくを見つめた。

「ですから、キャンプの将校がくれたお金の中から一万円ください。お願いします。貸してもらうだけでもいいんです。必ず返します。十年かかるかもしれません。それ以上かかるかもしれません。でもきっと返済します」

「し、しかし……」

「もうひとつお願いがあります。ベッドが足りなければ、このベッドで一緒に寝ます。ロッカーも机も、タオルでも歯ブラシでもなんでも二人でひとつのものを使います。御飯も二人で一人分をたべろといわれてもかまいません。弟をこの孤児院に入れてやってください！」


その夜更、ぼくは凍《い》てついてつるつるすべる坂道を、走りながら駈けくだって駅に行き、北へ行く真夜中の鈍行列車に乗った。康楽のある小都市の駅に降りるまで、ぼくは胸のポケットを、上から手でしっかりと押えつづけていた。胸のポケットにはちり紙で幾重にも包まれた十五枚の千円札が入っていたのだ。むろん、十枚は母の借金に、二枚は利子に、更に二枚は弟の食費その他に、あとの一枚は弟の仙台までの切符代にと、ダニエル院長が都合してくれたものだった。

鈍行列車から降りたとき、駅の時計は五時半を指していた。あたりはまだ暗かった。薄黒いざらめ雪をざくざく鳴らしながら、堤防の方へ歩いていった。弟はテーブルを寄せ集めた俄かづくりの高いベッドで、もう眠っているころだろう。もうすこし、明るくなるまで待っていたほうがよさそうだな、とぼくは思った。その間、ぼくは堤防の上を歩いていればいい。

堤防工事はもうほとんど完成しようとしていた。早番の労務者たちが堤防のあちこちで、土をトロッコに積んで運んだり、それを堤防にぶちまけて、プラカードのような柄つきの板で盛った土をポンポン叩いて平らにしたりしていた。堤防の斜面は南を向いており、雪は消え、ところどころに草の芽がほんのすこし、頭を出していた。

やがて、東の方がぼんやりと白みはじめた。

堤防を下って、ぼくは康楽のある飲食街に足を踏み入れた。あたりに薄く白く靄が立ちこめている。その靄のむこうに人影があった。その人影は小さくて、道路にバケツを持ち出してなにか洗っている。近くへ行って見ると、それは弟だった。学童服の上に、毛糸のくたびれたちゃんちゃんこを羽織っている。紫で背中に虫喰いのあとがあった。母がよく着ていたやつだ。弟のために置いて行ったのだろう。

弟はバケツに赤く腫れ上った手を突っこみながら、黙々と葱の泥を洗い落していた。ぼくは弟の背中を見つめながら、ずいぶん長い間、立ったままでいた。どうしても声をかけることができない。弟が泣いてでもいたら、走り寄って、ぽん！　と肩を叩くぐらいのことはできただろう。しかし、彼はおし黙って、さっさとでもなく、のろのろとでもなく、ただ手を動かしているだけだった。

すこしでも寒さを防ごうというつもりなのか、弟は背骨をひどく丸めていた。まるで体が二つに折れているように見えた。あるいは、寒さを防ぐためではなかったかもしれない、一家離散の辛さや悲しさを幼い身に背負いかねて、背骨が折れそうになっていたのかもしれなかった。彼の両耳は霜焼けを通りこして、ぐじゃぐじゃの雪焼けになっていた。痒《かゆ》くて引っ掻いたのか、瘡蓋《かさぶた》が半分千切れて、いまにも落ちそうにぶら下っていた。

ぼくは回れ右をし足音を忍ばせながら、いま下りた堤防をまた上った。そして、遠回りをして駅に戻った。つまり、ぼくはなに気なく弟に逢おうと考えたのだった。たとえば、小学校の向いあたりで弟のやってくるのを待つ。弟が歩いて来るのを見つけたら、ぼくもこっちから歩いて行く。そして、一旦、すれ違っておいて、

「やぁ、なんだ、ここで逢えるなんて思っていなかったなあ。兄さん、康楽へ行く途中なんだぜ」

とさらりと声をかけてやる。そのほうが、お互いに気が楽なのではないか。

駅の待合室のベンチに腰を下ろし、ぼくは大時計を何度も見上げ、早く七時になれ、早く時よたて、と呪文のようにとなえた。

七時すこし前から小学校の校門に立って弟を待った。そんなに早く登校するとは思え

なかったから、はじめは口笛などを吹いていた。七時半ごろから、登校の生徒たちの列が続きだした。弟がやってくるはずの通りをまたたきもせず見つめた。五、六人、弟とよく似た男の子を見つけ、歩き出し、すれ違ってみた。弟とよく似てはいたが、みんな弟ではなかった。

生徒たちの流れが途絶え、始業のベルが鳴った。だが、弟はやってこなかった。あるいは見つけ損ったのだろうか。ぼくは学校に飛びこみ、教頭先生にわけを話し、弟が四年の何組にいるのか調べてもらった。親切な教頭で、弟が四年三組にいるはずだ、と教えてくれたばかりでなく、教室の前までぼくを案内し、担任の女教師を廊下へ呼びだしてくれた。

「ここ二週間ばかりずーっと休んでいますよ、あなたの弟さんは……」

「二週間も……ですか？」

女教師は頷いて、

「一週間前に弟さんを訪ねてみました。そしたら、康楽の御主人が翌日からちゃんと通わせると約束してくださったんですよ。あの御主人はあなた方のおじさん？」

「おじさんなんかじゃありません！」

ぼくの言い方があまり激しかったので、教室で聞き耳を立てていた子どもたちがざわめき立った。ぼくは教頭と女教師に、弟の転校手続をとるためにもう一度戻って来ますと告げ、学校を飛びだした。

康楽は閉っていた。がたがた表戸を揺すぶっていると、弟が出て来た。半分、戸を開けかけて、弟はぼくに気がつき、

「あれ、兄ちゃん……」

と、照れ臭そうに笑った。

「バカ、どうして学校を休んでいるんだ」

「おじさんたちの御飯を炊いているんだ。お汁も作るんだよ」

「……命令されたのか？」

「いや、炊いてくれないか、といわれただけなんだ。でも……」

「断るとぶたれるんじゃないか、そう思って引き受けたんだな？」

弟は、そうだ、と小さな声で答えた。

「どこにいる？」

「おじさんたちのこと？」

「うん」

「二階で寝てるよ。でも、もうすぐ起きてくると思うんだ」

「起きてくるまで待っていられるか！」

ぼくは階段をどんどん踏み鳴らして二階へ上った。そして、抱き合って眠り呆《ほう》けてい

た二人にいった。

「弟はお世話になっているんですから、働かされても仕方はありません。でも、どうして、学校へやってはくれないんですか」

「四月からはちゃんと通わせますよ」

おばさんが腹這いになって、煙草に火をつけながらいい、一口吸ってから、おじさんに手渡した。

「もういいんです。ぼくは弟を連れて帰りますから。いろいろありがとう」

「そうはいかないぜ」

おじさんはぼくに煙を吹きかけた。

「おまえさんたちのお袋さんに金を貸してあるんだよ。それを貰わないうちは……」

ぼくは二人の前に千円札を十四枚並べた。おじさんは自然に黙ってしまった。

「母の書いた借用証を返してください。それから、市役所で手続してきますから、米の通帳を貸してもらえますか？」

弟とぼくは昼すぎの鈍行でその町を発った。車内は空いていた。座席に並んで坐りほっとした途端、どういうわけなのか、涙が溢れ出た。それを見て、こんどは弟が泣き始めた。

向いに坐っていた老婆が、ぼくらに声をかけた。

「兄弟喧嘩かね？　兄弟喧嘩はいけないよ」

それから、老婆は、その前の日、船橋に殴られて腫れ上ったぼくの左頰を見てにこりと笑った。

「あんた方兄弟は、弟さんの方が強いのかね？　え、こんな小さいのに……」

あくる朝の蟬

汽車を降りたのはふたりだけだった。

シャツの襟が汗で汚れるのを防ぐためだろう、頸《くび》から手拭いを垂らした年配の駅員が柱に凭《もた》れて改札口の番をしていた。その駅員の手に押しつけるようにして切符を二枚渡し、待合室をほんの四、五歩で横切ってぼくは外へ出た。すぐ目の前を、荷車を曳《ひ》いた老馬が尻尾で蝿を追いながら通り過ぎ、馬糞のまじった土埃りと汗で湿った革馬具の饐《す》えた匂いを置いていった。

土埃りと革馬具の饐《す》えた匂いを深々と吸い込んでいると、弟が追いついてきて横に並んだ。弟は口を尖らせていた。ぼくがひとりでさっさと改札口を通り抜けたことが、自分が置いてきぼりにされたことが不満なのだろう。

「思い切り息をしてごらんよ」

弟にぼくは言った。

「空気が馬くさいだろう。これがぼくらの生れたところの匂いなんだ」

弟はボストンバッグを地面におろし、顔をあげて深く息を吸い込んだ。

「どうだ、この匂いを憶えているだろう?」

「ぜんぜん」

孤児院のカナダ人修道士がよくやるように弟は肩を竦《すく》めてみせた。

「べつにどうってことのない田舎の匂いじゃないか」

弟がこの町を出たときはまだ小さかった。この匂いが記憶にないのは当然かもしれない。でもぼくにはこの馬の匂いと生れ故郷の町とを切り離して考えることは出来なかった。町は米作で成り立っていた。冬、雪に覆われた田に堆肥《たいひ》を運ぶのも、春、雪の下から顕われた田の黒土を耕すのも、夏、重い鉄の爪を引いて田の草を除くのも、そして秋、稲束を納屋まで運ぶのも、みんな馬の仕事だった。ぼくが此処を離れたのは三年前の春だったが、そのとき町にあった自動車は十数台の乗合バスと、それとほぼ同数のトラックだけで、運搬の仕事もそのほとんどを馬たちが引き受けていた。とくに冬季は深い雪のために自動車はものの役に立たず、そのときの町は橇《そり》を曳いた馬たちの天下になった。そんなわけで馬糞と革馬具の匂いはこの町そのものなのだ。ぼくはもういちど馬くさい空気を胸いっぱい吸い込んだ。

ぼくと弟を乗せてきた汽車が背後で発車の汽笛を鳴らした。駅前の桜並木で鳴いていた蟬たちが汽笛に愕《おど》ろいてすこしの間黙り込んだ。汽笛にうながされて、ぼくは並木の下の日蔭を拾いながら歩き始めた。

薬売りの行商人や馬商人たちの泊まる食堂を兼ねた旅館、本棚にだいぶ隙間のある書店、昼はラーメン屋だがあたりが黄昏《たそが》れてくると軒に赤提灯をさげる二足草鞋《わらじ》の店、海から遠いのでいつも干魚ばかり並べている魚屋、農耕機具と肥料を扱う一方で生命保険会社の出張所もつとめている店、軒先の縁台で氷水をたべさせる菓子屋など街並みは三年前とほとんど変っていない。真夏の午後の炎暑を避けて桜並木の通りには人影もなかった。四周を山で囲まれているために暑気の抜ける隙間がなく、北国なのにこの町の夏は妙に蒸し暑いのである。

「待ってよォ」

ぼくの足を追い切れず、はるかうしろで弟が音をあげた。細紐で縛ったトランクを地面に置き、その上に腰をおろしてぼくは弟が追いつくのを待った。トランクは死んだ父親が学生時代に使っていたという年代物で、角かどに打った補強の金具はひとつ残らずとれており、錠もばかになっていた。細紐は錠のかわりだった。

桜並木はあと十数米で尽きようとしていた。そして尽きたところで旧街道とぶっつかる。旧街道を右に曲って三町ほど行くともう祖母の家のはずだった。ぼくと弟は夏休みの後半をその祖母の許《もと》で過すために、仙台の孤児院から故郷の町へ着いたところだった。

ぼくが高校一年、弟が小学四年のときのことである。

「もうすこし、もうひと息」

追いついてきた弟に調子をとるように声をかけながらぼくはまた歩き出した。弟は両手で持ったボストンバッグの重さと釣り合いをとるために軀をうしろに反《そ》らせよたよたついてきた。旧街道はかなり大きな川に沿って続いているはずだった。川からの風はきっと涼しいだろう。川風が荷物の重さをすこしは忘れさせてくれるにちがいない。

「もうちょっと行くと楽になるよ」

額《ひたい》の汗を手の甲で払って、ぼくは弟にまた声をかけた。ぼくが祖母の許へ来ることを思いついたのは、夏休みが始まって十日ばかり経《た》ってからだった。孤児院の夏休みはひどい重労働だったのでどこかへ逃げ出す手はないかと必死で思案をめぐらせ、祖母のことを思い出したというわけである。孤児院の夏休みがなぜ重労働かというと、この期間に市民の善意や心づくしがどっと集中するからだった。

夏休み第一日は市の青年商工会議所有志の招待による海水浴、第二日は市の福祉団体連合会の主催する『よい子の夏まつり』への参加、第三日は孤児院の近くの商店街の招きでお化け屋敷と花火大会の見学、第四日は米軍キャンプのGIたちの肝煎《きもいり》でアメリカン・スクールの少年たちとの対抗運動会、第五日第六日は市のボーイスカウト支部の招きで河畔キャンプ、第七日第八日はガールスカウト支部の誘いで高原キャンプ、第九日は市の婦人団体共催の『一日母子《おやこ》の会』への参加……というような具合で善意と心づくしで揉《も》みくちゃにされてしまう。なにしろこれらの善意の人たちは自分たちの施す心づくしがぼくらにどれだけ喜ばれているかをとても知りたがっていた。だからぼくらは心づくしへのお返しに必要以上に嬉しがり、はしゃぎ、甘えてみせなくてはならなかった。そうするよりお返しのしようがなかったわけだが、これはずいぶん芯の疲れることだった。

第九日『一日母子の会』から帰ったぼくは、孤児院の事務室の黒板に、

「第十日、市内高校演劇部共催・夏の人形劇大会。第十一日、市営プール主催・市内養護施設対抗水泳大会。第十二日、地元有力紙主催・親のない子と子のない親たちの七夕まつり……」

と書いてあるのを読み、このままでは夏休みの終らぬうちに過労のために仆《たお》れてしまうのではないかと怯《おび》え、祖母にあてて手紙をしたためた。

「故郷を後にしてから早いもので三年たちました。驚かないでください。ぼくと弟はいま孤児院にいます」

たしかこんな書き出しだった。これに続けてぼくはたぶん次のように書いたはずだ。

「ぼくらが孤児院に入ったわけは、母の商売がうまく行かないからです。母は、男と同

じように女にも意地というものがある、たとえどんなに困っても、またどんなに辛くても、祖母《ばっちゃ》に泣きついてくれるな、手紙を出すのもいけないよ、と言っています。でも、ぼくらはつくづく孤児院にいるのに疲れました。かと言って母のところへは帰れません。母は旅館の住込みの女中さんをしているのです。祖母《ばっちゃ》、突然のお願いですみませんが、ぼくらを祖母のところへ置いてくれませんか」

夏休みの間だけでもいい、と書かなかったのは、ひょっとしたら祖母がぼくらを夏休みの間だけではなくずっと孤児院から引き取ってくれるかもしれないという期待があったからだ。

祖母からの返事はなかなか届かなかった。祖母は母のことを相当ひどく怒っている、祖母と母はぼくらが想像する以上に憎み合っているらしい。そう思って諦めかけたところへ書留が舞い込んだ。

「とにかく帰っておいで」

千円札を二枚、飯粒で丁寧に貼りつけた便箋に電文のような一行が書きつけてあった。

川の音が聞えてきた。桜並木を通り抜けて旧街道へ出たのだ。ぼくは橋の欄干に腰をおろし、今度もぼくの足に追いつかないでいる弟を待つことにした。橋を渡って左に曲れば三町ほどで祖母の家である。右に折れて五町ばかり川に沿って上流へさかのぼれば三年前までぼくらの住んでいた家があるはずだ。もうその家は人手に渡っている。かつて自分たちが寝起きしていた家にいまは赤の他人が生活している、そんなことはあまり信じたくなかった。そこでぼくは川の下流に沿って並んでいる店を眺めていた。まず目の前が地方銀行の支店、次が郵便局、ふたつとも石造り、木造でない建物は町でこの二軒だけだ。それから洋品屋、酒造店、時計屋……。店屋《みせや》の並ぶ順に視線を移動させているうちに、どこかが変だぞ、と思いはじめた。前とはなにかがちがっている。ぼくは眼をつむり三年前のそのあたりの様子を頭に泛《うか》べてみた。

地方銀行の支店と郵便局、ここまでは問題がない。右や左の木造家屋を睥睨《へいげい》しつつでんとおさまりかえった有様は三年前と変っていない。引っ掛かるのは郵便局の隣りである。前はたしか空地で、酒造店が酒を仕込むときに使う大樽がいくつも並べてあったはずだ。するとぼくらが町を出てからその空地に洋品屋が建ったのだろう。だがそれにしては洋品屋の造りが古びていた。近寄って眼を凝《こ》らすと材木にも年代があらわれ、黒味がかっている。

旧街道に並ぶ店屋はいずれも明治あたりに建ったもので、それぞれの造作にはどこか共通したところがあった。なによりも間口が広い。小店でも四間はある。大店ともなれば八間を超えていた。店の戸はだから大店になると十四、五枚にもなる。戸はすべて硝子戸で、風や雪の日を除いては一枚残らず戸袋に仕舞い込み店先を開けはなすのが作法のようになっていた。どの店屋も二階建てだった。二階の窓は大きく仕切ってあるが、どの窓にも櫺子《れんじ》が嵌《はま》っていた。表廻りに壁土を用いないことも共通している。壁のかわりに厚い頑丈な杉板が張りつめてあった。二階だけ眺めると、昔の武芸者の道場か、尋常小学校の雨天体操場といった趣がある。

洋品屋もこれと同じ造りがしてある。新しく建ったにしてはそこが変だった。どうして新開地の桜並木通りの店屋のように今風の建て方をしなかったのだろう。それよりも、どこからこのように古びた材木や板を手に入れたのだろう。それがなんだかとても気にかかってぼくはしばらく洋品屋を眺んでいた。

「どうしたの、あんなに急いでいたくせに」

弟がいつの間にか追いついていた。

「なに眺めてんの」

「先にいっていろよ」

とぼくは弟の背中を押した。

「すぐ追いつくからな」

弟はあいかわらず軀を反《そ》らせながらボストンバッグを支え、よたよたと先へ歩いていった。

五分も行けば祖母の家に着けるというのに、どうしてこの間口四間にも足らない小さな店の前から離れることができないでいるのだろう。いらいらしながら洋品屋の店先や二階の窓や板壁を眺め廻しているうちに、ぼくの視線は板壁の或る個所に貼りついたまま動かなくなってしまった。板壁の上に釘の先で「聖戦と疎開は永遠に続くのである」と長ったらしい文字が刻んであったが、この文字通りの金釘流の悪戯《いたずら》書きにぼくははっきりと憶えがあったからだ。

戦争中、たしか小学四年の秋から五年の夏ごろまで、ぼくは母の許を離れ祖母の家で暮していたことがある。祖母のところで暮すようになったわけは、隣りにきれいな女の子が東京から疎開してきたからで、できるだけ彼女の近くに住みたいものだと子どもながらも思いつめ、「祖母《ばっちゃ》のところへどうしても行くというなら、もう母子の縁は切るから」と母が止めるのもきかず、祖母の許へ転がり込んだのだ。そのときに、戦争がこのままいつまでも続いてくれればその女の子も東京へ帰ることができないだろう、ぜひ戦争よ続いてほしい、と祈るような思いで店の二階の板壁に釘で彫りつけたのが、「聖戦と疎開は……」の十五文字だった。母とは犬猿以上の仲だったが、祖母はぼくらには優しかった。その悪戯書きが見付かったときも、腹を立てている祖父にあれこれとりなしてくれたのは祖母だった……。

しかし祖母の家の一部がどうしたわけでこんなところにあるのだろうか。

新しい疑問がぼくの胸をきりきりと締め付けはじめた。祖母の家は「アカマツ」と呼ばれていた。㊥《まるなか》という屋号があるのだが、十間の間口の店のすぐ左に赤松が立っていたので、それがいつの間にか屋号の代りになってしまったのである。戦前は本業の薬種商のほかに本屋や文房具店も兼ね、その郡の小学校の教科書の取次ぎもしていた。戦後は農地改革で田畑を手離し、本屋や文房具店もやめ、すこし落ち目になっていたが、それでも薬は商っているはずで、家屋の一部を切り売りするほど困っているとはとうてい信じられない。いったいなにが起ったのだろう。胸を締めあげていた疑問がいやな予感に変っていった。

「どうしたの」

一町ほど先で弟が手を振っていた。それに応えて手を挙げてみせてからトランクを持ちあげたが、トランクはぼくの心が重くなった分だけ重さを増したようだった。ぼくは弟と同じように軀を反らせてその重さと釣り合いをとりながらゆっくり足を運びはじめた。

しばらく行くと川の音が高くなった。川が左に大きく折れ、その折れ目のところが瀬になっているのである。川に合わせて街道も左に曲っている。その曲り角に立てば祖母の家の赤松が見えるはずである。ぼくらは首を伸ばして向うをのぞきこむようにして角を曲った。

赤松が見えた。見た瞬間、ぼくは軽い狼狽を覚えた。記憶のなかの赤松と較べると現実の赤松がいやに雑然としていたからだ。前は秋風の立つごとに植木職人がやってきて、赤松の姿づくりに小半日はかけていた。その丹念な葉刈りと整枝や剪定《せんてい》のおかげで赤松はいつもすっきりした姿で立っていた。だが、すこしずつ近づいてくる三年振りの赤松は、小枝を四方へ漫然と伸ばしているだけで、かつての凛々《りり》しさには欠けていた。十間あった間口が半分ほどになっているのも寂しい感じだった。やはり来る途中に見かけた洋品屋は祖母の家の半分だったのだ。切り口はむろん新しい杉板できっちりと張ってあるが、全体の黒ずんだ色合いのなかに新しい杉板の部分だけはなにやら赤味を帯びていて、まっぷたつに断ち切られた鮪《まぐろ》の胴体の切り口を見るような心持がした。

店の硝子戸はこの町の商家のならわしに従って一枚残らず開かれていた。店先に浴衣《ゆかた》を着た若い男が正坐して、膝の上に置いた本の上に目を落している。

「あ、叔父さん……」

ぼくが小さく叫んだのが聞えたようだ。叔父が顔をあげた。薄暗い店の中に叔父の白っぽい浴衣と蒼白い顔がくっきりと浮かび上って見える。

「ご厄介になります」

ぼくは店の中にトランクをさし入れるように置き、叔父に軽く会釈した。弟もぼくを真似てお辞儀をした。

「……やぁ」

叔父は微かに笑ったようだが、すぐに目を膝の上の本へ戻した。

「昨日、ばっちゃから書留を貰ったんです」

ぼくは開襟シャツのポケットからふたつに折った封筒を抜き出して、叔父の目の前に掲げた。シャツの生地を透してしみ出した汗で封筒は湿っぽくなっていた。表書のインクが汗で滲《にじ》んでいる。

「……とにかく帰っておいでって書いてあったものだから、今朝早く孤児院を発《た》ってきたんです」

叔父はしばらく封筒を見つめていた。見つめていたというより睨みつけていたといった方がいいかも知れない。ぼくは気圧《けお》されてのろのろした仕草で封筒を胸におさめた。

「叔父ちゃ、ばっちゃは?」

「裏じゃないかな。畑にいるだろう」

はじめて叔父は声らしい声を発し、言葉らしい言葉を喋った。ぼくはそれが嬉しくて吻《ほっ》とした。店の中に入りながらぼくは訊いた。

「叔父さんも夏休みですか」

三年前ぼくらが町を出るすこし前、叔父は東京の私大に入学した。順調に行っているならもう四年のはずだった。

「……来年は卒業でしょう」

「大学は二年でやめたよ」

吐き捨てるような口調だった。弟はびくりとしてぼくのうしろに隠れた。叔父は再び膝の上の本に目を落とし、大きな音をさせて頁をめくった。

「畑へ行ってみます」

ぼくと弟は足音を殺して横の通用門へ歩きだした。

「店先に荷物を置かれちゃ困るな」

本を睨んだままで叔父が言った。ぼくはすみませんを何回も連発しながら、トランクとボストンバッグを両手にさげて通用門へまわった。

通用門をくぐり抜けると庭になる。庭に向い合って長い縁側がのびている。その縁側に荷物を置くと、ぼくらは裏へ走り出た。このあたりの商家は家屋の裏に二百坪から三百坪の畑を持っている。野菜は自給自足なのだ。そのためかどうか、町に八百屋は少なかった。

畑は荒れ果てていた。雑草だけがはびこっている。ただ、敷地の中を流れる小川に沿って、トマトの赤や茄子の紫やさやえんどうや胡瓜《きゅうり》の緑が見えていた。ぱちんぱちんと鋏を使う音がそのあたりでしていた。

「……ばっちゃ！」

ぼくらが叫ぶと、鋏の音がやんだ。

「どこ？」

トマトの植えてあるあたりで白いものが動いた。ぼくと弟はそこを目がけて走っていった。

「ばっちゃ、来たよ」

「おお、来たか」

叔父と同じように白っぽい色の浴衣を着た祖母が襷《たすき》を外しながら何度も頷いている。足許に置いた籠の中に大粒のトマトが光っていた。

「よく来たねえ」

「お金、ありがとう」

「足りなかったろう、あれっぽっちじゃ……」

「二千円そっくり残ってる」

ぼくは胸のポケットを左手で抑えてみせた。

「交通費は孤児院の先生から貰ったんだ」

「ありがたい先生がただねえ」

小虫が眼に入ったと言い訳をしながら祖母は袂で眼頭をそっと拭った。

「ばっちゃ、来る途中に洋品屋があったけど、あれはばっちゃの家だよね」

「おまえたちが町を出ていったころだと思うけど、じっちゃが死んでねえ」

そのことはぼくも知っていた。葬式へ行くというぼくと、あんな鬼爺の葬式になど出る必要がないと言い張る母との間で喧嘩になってしまったものだ。結局、ぼくが言い負かされて葬式には出ないでしまったが。

「……じっちゃが死んでから、うちにだいぶ借金があったことがわかったのだよ。それで店を半分、人手に渡したわけ……」

祖母はぽんぽんと浴衣の前を手で叩いた。

「三年振りじゃないか。陰気な話はよそうね。風呂を沸してあげるからまず汗をお流し……」

ぼくと弟は祖母の後について家の方へ歩き出した。陽はだいぶ西に傾いていた。雑草の上を涼しい風が渡ってくる。断髪にした祖母の髪が四、五本はらはらと風にそよいだ。後から見ると祖母はずいぶん小さく見えた。本当に祖母が小さくなったのか、あるいはぼくらの背が伸びたせいでそう見えるのか、それはわからなかった。

ぼくと弟はきっかり十分間で風呂場から出た。弟の着る浴衣の揚げをしていた祖母が老眼鏡の奥で目を瞠《みは》った。

「昔の同級生とでも逢う予定があるの」

「同級生たちと逢うのは明日からのことにするよ」

ぼくは浴衣を羽織りながら答えた。弟は丸裸のまま祖母の横にしゃがみこみ、祖母の運針に見とれている。

「でもばっちゃ、どうしてそんなことを聞くのさ」

「ずいぶん早風呂だからだよ。烏の行水だっておまえたちのようには早くないよ」

「だって、後がつかえると困るもの」

弟が言った。

「みんなの迷惑になるよ」

「だれも迷惑なんかしないじゃないの」

祖母は糸切歯でぷつんと糸を切った。

「前の人が上ってから入る、それでいいんだから」

祖母は弟に浴衣を着せながら、

「おまえたちったら何を慌てているんだろ」

と小首を傾《かし》げている。

ぼくは笑い出した。ぼくらがどうやら孤児院の規則をここまで引きずってきているらしいと気がついたからである。

「孤児院の風呂は畳一帖分もあるんだ。でも一度に五人以上は入れない。ところがぼくらの数は四十人。四人ずつ組にして十組。一組三十分ずつ入ったとしても五時間かかる。

「それでね、一組十分間と決められているのさ」

　ぼくのこの説明に、弟がさらにつけ加えた。

「十分経っても出てこないとね、先生が長い竹竿でお風呂のお湯をぴしゃぴしゃ叩くんだ。それでもお湯に漬かっていたいと思うときは潜るんだよ、深くね。おもしろいよ」

「妙なことをおもしろがる子だねえ」

　また首を捻《ひね》りながら、祖母は弟の兵児《へこ》帯を締め終った。

「さあ、夕餉《ゆうげ》の支度が出来るまで縁側ででも涼んでいなさい」

　祖母に背中を軽く叩かれて、ぼくと弟は縁側へ出た。

　縁側に腰を下し、足をぶらぶらさせながらぼくと弟はいろんな音を聞いていた。表を通り過ぎて行く馬の蹄《ひづめ》の音、その馬の曳く荷車の鉄輪が小石をきしきしと砕く音、道の向うの川で啼く河鹿の声、軒に揺れる風鈴の可憐な音色、ときおり通り抜けて行く夕風にさやさやと鳴る松の枝、台所で祖母の使う包丁の音、それから、赤松の幹にしがみついても悲しく啼くカナカナ。

　弟は庭下駄を突っかけて赤松の方へそっと近づいて行く。彼は昆虫を捕えるのが好きなのだ。

（……いまごろ孤児院ではなにをしているだろう）

　ぼくは縁側の板の間の上に寝そべって肘枕をついた。

（……六時。お聖堂《みどう》で夕べの祈りをしているころだな。お祈りは六時二十五分まで、六時半から六時四十五分までが夕食。七時から一時間はハーモニカ・バンドの練習。八時から四十五分間は公教要理。八時四十五分から十五分間は就寝のお祈り……）

孤児院の日課を暗誦しているうちに、ぼくはだんだん落ち着かなくなっていった。しみじみとして優しい田舎のさまざまな音に囲まれているのだからのんびりできそうなものなのに、かえっていらいらしてくるのだった。生れたときから檻の中で育ったライオンかなにかがいきなり外に放たれてかえってうろたえるように、ぼくも時間の檻の中から急に外へ連れ出され戸惑っていたのだ。

立ってみたり坐ってみたり、表へ出たり裏へまわったりしながら、夕餉の出来あがるのを待った。

店の網戸を引く音がして、それと同時に蚊やりの匂いが家中に漂いだした。

「さあ、台所のお膳の前に坐って」

祖母がぼくらに声をかけながら店の方へ歩いて行った。叔父にも食事を知らせに行ったのだろう。店と台所はぼくの歩幅にしてたっぷり三十歩は離れている。しかも店と台所との間には、茶の間に仏間に座敷に納戸《なんど》といくつも部屋があって台所から店を見通すことはできない。だから叔父は食事のときは一旦店を閉めなければならなかった。

店を閉めるのに三分や四分はかかりそうだった。ぼくと弟は台所の囲炉裏の横の板の間に並べられた箱膳の前に坐って叔父のくるのを待っていた。蚊やりの匂いが強《きつ》くなった。見ると囲炉裏に蚊やりがくべてある。

すぐに祖母が戻ってきた。

「叔父さんを待たなくてもいいよ」

祖母が茶碗に御飯をよそいだした。

「叔父さんは後でたべるっていっているから」

「どうかしたの？」

「どうもしないよ。店をいちいち閉めたりするのが面倒なんだろうねえ。それにいまはあんまりたべたくないそうだよ」

お菜は冷し汁だった。凍豆腐や青豆や茄子などの澄し汁を常時穴倉に貯蔵してある氷で冷した食物で町の名物だった。

「おや、変な茶碗の持ち方だこと」

しばらく弟の手許を見ていた祖母が言った。弟は茶碗を左手の親指、人さし指、中指の三本で摘《つま》むように持っていた。もっと詳しくいうと、親指の先と中指の先で茶碗を挟み、人さし指の先を茶碗の内側に引っかけて、内と外から茶碗を支えているわけである。

「それも孤児院流なんだ」

忙しく口を動かしている弟に代ってぼくが説明した。

「孤児院では御飯茶碗もお汁茶碗も、それからお菜を盛る皿も、とにかく食器はみんな金物なんだ。だから熱い御飯やお汁を盛ると、食器も熱くなって持てなくなる。でも、弟のようにすればなんとか持てる。つまり生活の智恵……」

「どうして食器は金物なの？」

「瀬戸物はこわれるからだよ」

祖母はしばらく箸を宙に止めたまま、なにか考えていた。それから溜息をひとつついて、

「孤児院の先生方もご苦労さまだけど、子どもたちも大変だねえ」

と漬物の小茄子を嚙んだ。

「……ごちそうさま」

弟がお櫃《ひつ》を横目で睨みながら小声で箸を置いた。

「もうおしまい？　お腹がいっぱいになったの」

弟は黙ったままである。ぼくは時間の箍《たが》が外れたので面喰ったが、弟は孤児院の箍を外せないで困っているようだった。ぼくは弟に手本を示すつもりで大声で、おかわりと言い、茶碗を祖母に差し出した。弟は一度置いた箸をまた取って、小声で、ぼくもと言った。孤児院の飯は盛切りだった。弟はその流儀が祖母のところでも行われていると考えて一膳だけで箸を置いたのにちがいなかった。食事の後に西瓜が出た。そのときも弟

は孤児院流を使った。どの一切れが最も容積のある一切れか、一瞬のうちに見較べ判断しそれを手で摑むのがあそこでの流儀なのだ。

弟の素速い手の動きを見ていた祖母が悲しそうな声で言った。

「ばっちゃのところは薬屋さんなんだよ。腹痛《はらいた》の薬は山ほどある。だからお腹の痛くなるほどたべてごらん」

弟はその通りにした。そしてお腹が痛くなって仏間の隣りの座敷に横になった。祖母は弟に蚊帳をかぶせ、吊手を四隅の鉤《かぎ》に掛けていった。ぼくは蚊帳をひろげるのを手伝った。蚊帳の、ナフタリンと線香と蚊やりの混ったような匂いを嗅いだとき、ぼくは不意に、ああ、これは孤児院にない匂いだ、これが家庭の匂いだったのだな、と思った。思ったときから、夕方以来の妙にいらついていた気分が消え失せて、どこか知らないがおさまるべきところへ気持が無事におさまったという感じがした。

前の川の河鹿の啼き声がふっと跡切れた。夜突《よづ》きに出ている子どもがいるらしい。簎《やす》で眠っている魚を突いて獲《と》るのだ。河鹿と申し合せでもしたように、すぐ後を引き継いでドドンコドンドコドンと太鼓の音が聞えてきた。途中のどこかで風の渡るところがあるのか、太鼓の音はときどき震えたり弱くなったりしていた。

ぼくは座敷の隅の机の前にどっかりと坐ってトランクを縛っていた細紐をほどいた。持ってきた本を机に並べて、座敷を自分の部屋らしくしようと思ったのだ。

「そのトランクは死んだ父さんのだろう」

祖母がトランクの横に坐った。

「よく憶えているんだなあ」

「わたしが買ってやったんだもの」

祖母はトランクを指で撫でていた。

「死んだ父さんが東京の学校へ出かけて行ったときだから、三十年ぐらい前のことかしらね」

トランクを撫でていた指を、祖母はこんどは折りはじめた。

「正しくは三十一年前だねえ」

「もうすぐお祭だね」

ぼくは太鼓の聞えてくる方を指さした。

「あれは獅子舞いの太鼓だな」

「そう、あと七日でお祭」

「ぼくたち、祭まで居ていい？」

ほんの僅かの間だが祖母は返事をためらっていた。

「駄目かな、やっぱり」

「いいよ」

返事をためらったことを恥《は》じているような強い口調だった。

「おまえたちはわたしの長男の子どもたちだもの、本当ならおまえがこの家を継ぐべきなのだよ。大威張りでいていいよ」

　この祖母の言葉で勇気がついて、当分言わないでおこうと思っていたあのことを口に出す決心が出た。

「ばっちゃ、お願いがあります」

　急にぼくが正坐したので祖母が愕いた眼をした。

「母が立ち直ってぼくと弟を引き取ることが出来るようになるまで、ぼくたちをここへ置いてください」

「……でも高校はどうするの」

「この町の農業高校でいいんだ。店の手伝いでもなんでもするから」

　祖母はぼくと弟をかわるがわる眺め、やがて膝に腕を乗せて前屈みになった。

「孤児院はいやなのかね、やはり」

「あそこに居るしかないと思えばちっともいやなところじゃないよ。先生もよくしてくれるし、学校へも行けるし、友だちもいるしね」

「そりゃそうだねぇ。文句を言ったら罰が当るものねぇ」

「で、でも、他に行くあてが少しでもあったら一秒でも我慢できるようなところでもないんだ。ばっちゃ、考えといてください。お願いします」

店で戸締りをする音がしはじめた。祖母はトランクの傍から腰を上げた。

「叔父さんの食事の支度をしなくっちゃ。今のおまえの話はよく考えておくよ」

祖母が出て行った後、ぼくはしばらく机の前に、ぼんやり坐っていた。この話をいつ切り出そうかとじつはぼくは迷っていたのに、それが思いがけなくすらすらと口から出たので自分でも驚いてしまったのだ。気が軽くなって、ひとりで笑い出したくなった。ぼくはその場に仰向けに寝転んで、ひょっとしたらぼくと弟が長い間寝起きすることになるかもしれない部屋をぐるりと眺め廻した。そして何日ぐらいで、弟の孤児院流の茶碗の持ち方が直るだろうかと考えた。弟は蚊帳の中で規則正しい寝息を立てている……。

ぼくは蚊帳の中に這っていって、出来るだけ大きく手足を伸ばして、あくびをした。

縁側から小さな光がひとつ入ってきて、蚊帳の上に停った。それは蛍だった。

〽行手示す　明けの星
船路《ふなじ》示す　愛の星
空の彼方で　我等守る……

孤児院で習った聖歌を呟いているうちに、光が暗くなって行き、ぼくは眠ってしまった。

どれくらい経《た》ってからかわからないが、叔父の声で目を覚した。蛍がまだ蚊帳の上で光っていたから、どっちにしてもそう長い間ではなかったことはたしかだった。

「……いいかい、母さん、おれは母さんが、親父が借金を残して死んだから学資が送れない、と言うから学校を中途で止してここへ戻ってきたんだ……」

叔父の声は震えていた。

「店を継いでくれないと食べては行かれないと母さんが頼むから薬種業の試験を受けて店も継いだ。借金をどうにかしておくれと母さんが泣きつくから必死で働いている。これだけ言うことをきけば充分じゃないか。これ以上おれにどうしろというんだよ」

「大きな声を出さないでおくれ。あの子たちに聞えるよ」

「とにかく母さんの頼みはもう願いさげだよ」

叔父の声がすこし低まった。

「今年の暮は裏の畑を手離さなくちゃ年が越せそうもないっていうのに、どうしてあの二人を引き取る余裕なんかあるんだ」

祖父はだいぶ大きな借金を残したらしかった。それにしても裏の畑を手離すことになったら祖母の冷し汁の味もずいぶん落ちるにちがいないと思った。冷し汁に入れる野菜はもぎたてでないと美味しくないからだ。

「子ども二人の喰い扶持ぐらいどうにかなると思うんだけどねぇ」

「そんなことを言うんなら母さんが店をやるんだな。薬九層倍なんていうけど、この商売、どれだけ儲けが薄いか母さんだって知ってるはずだよ。とくにこんな田舎じゃ売れるのはマーキュロか正露丸だ。母さんと二人で喰って行くのがかっつかつだぜ」

「でも、長い間とはいわない。あの子たちの母親が立ち直るまででいいんだから」

「それがじつは一番腹が立つんだ」

叔父の声は前よりも高くなった。

「あの二人の母親は親父の、舅《しゅうと》の葬式にも顔を出さなかったような冷血じゃないか。そりゃあの二人の母親は親父や母さんに苛められたかも知れない。でも相手がこの世から消えちまったんだ。それ以上恨んでもはじまらないだろ。線香の一本もあげにくればいいじゃないか。向うが親父を許さないのなら、そのことを今度はおれが許さない。おれはいやだよ。あの女の子どもの面倒など死んでも見ないよ」

「でもあの子たちはおまえの甥だろうが……」

箱膳のひっくり返る音がした。

「そんなにいうんなら、なにもかも叩き売って借金を払い、余った金で母さんが養老院にでも入って、そこへあの二人を引き取ればいいんだ。おれはおれでひとりで勉強をやり直す」

叔父の廊下を蹴る音が近づき、座敷の前を通ってその足音は店の二階へ消えた。叔父は赤松が目の前に見える、店の二階の一番端の部屋で寝起きしているのだろう。

いまの話を弟が聞いていなければいいな、と思いながら、弟の様子を窺うと、彼は大きく目を見開いて天井を睨んでいた。

「……ぼくたちは孤児院に慣れてるけど、ばっちゃは養老院は初めてだよね」

弟はぼそぼそと口を動かした。

「そんなら慣れてる方が孤児院に戻ったほうがいいよ」

「そうだな」

とぼくも答えた。

「他に行くあてがないとわかれば、あそこはいいところなんだ」

蚊帳に貼りついていた蛍はいつの間にか見えなくなっていた。つい今し方の叔父の荒い足音に驚いて逃げだしたのだろうとぼくは思った。

ぼくはそれから朝方まで天井を眺めて過した。これからは祖母がきっと一番辛いだろう。「じつはそろそろ帰ってもらわなくちゃ……」というをいやな言葉をいつ口に出したらいいかとそればかり考えていなくてはならないからだ。店の大時計が五時を打つのをしおに起き上って、ぼくは祖母あてに書き置きを記した。ごく簡単な文面だった。

「大事なことを忘れていました。今夜、ぼくら孤児院のハーモニカ・バンドは米軍キャンプで慰問演奏をしなくてはならないのです。そのために急いで出発することになりました。ばっちゃ、お元気で」

書き置きを机の上にのせてから、ぼくは弟を揺り起した。

「これから孤児院に帰るんだ」

弟は頷いた。

「ばっちゃや叔父さんが目を覚ますとまずい。どんなことがあっても大声を出すなよ」

「いいよ」

弟は小声で言って起き上った。

ぼくらはトランクとボストンバッグを持って裏口から外へ出た。裏の畑にはもう朝日がかっと照りつけていた。足音を忍ばせて庭先へ廻った。

ギーッ！　ギーッ！

と大きな声で蟬が鳴いている。あまり大きな声なので思わず足が停まった。蟬の声は赤松の幹のあたりでしていた。近づいて見ると、透明なハネを持った赤褐色の大蟬だった。幹に頭を下に向けてしがみついている。

「でかいなあ」

弟が嘆声をあげた。

「あんなにでかいのは油蟬かな。ちがう、熊蟬だ……」

「大きな声を出すんじゃない」

ぼくは唇に右の人さし指を当ててみせて、

「それからあいつは油蟬でも熊蟬でもないぜ」

「じゃなに？」

「エゾ蟬。とんまな蟬さ」

「とんま？　どうして？」

「いきなり大声を出すとびっくりして飛び出す。そこまではいいけど、さかさにとまっているから、地面に衝突してしまうんだ」

「……それで？」

「脳震盪《しんとう》を起して気絶しているところを捕える。それだけのことさ。ぼくなんか前にずいぶん捕えたな。おまえにもずいぶん呉れてやったじゃないか」

「憶えてないや」

「たいてい山の松林にいるんだけどね、あいつ珍しく降りてきたんだぜ」

弟はボストンバッグを地面に置いた。

「よし、捕えちゃおう。大きな声をあげればいいんだね？」

そうさ、と頷きかけて、ぼくは慌てて弟の口を手で塞《ふさ》いだ。

「ばっちゃや叔父さんが目を覚しちまう」

弟はなにかもごもご口を動かした。きっと不平を言っているのにちがいなかった。

そこでぼくは弟の耳に口を寄せて囁いた。

「たしか今度の日曜日に、市の昆虫採集同好会とかいうところの小父さんたちが孤児院に慰問に来ることになってたろう。あの小父さんたちがきっとこのとんまな蟬のいるところへ連れてってくれると思うよ。だからこいつは見逃してやろう」

弟がかすかにうんと首を振ったのでぼくは彼の口から手を離した。それからぼくらはエゾ蟬の鳴き声にせきたてられるようにして通用門の方へ歩いて行った。

解説

百目鬼恭三郎

井上ひさしは、幼時に父と死別し、少年時代には貧窮から一家が離散して、仙台にあるカトリック系養護施設に入れられる、という辛酸をなめている。この『四十一番の少年』は、養護施設時代の体験をもとにした、自伝的要素の濃い作品を収めた短編集である。

井上の書く戯曲・小説の両方を通じていえる特色は、徹底した笑いということであろう。たとえば、戯曲「道元の冒険」は、道元の生涯と教義が、駄洒落、くすぐり、語呂合せのおかしさにもみくちゃになりながら展開してゆく滑稽劇であるし、小説「手鎖心中」は、世間に笑われたいためにさんざんズッコケてみせたあげく、ひょんなことで生命をおとす馬鹿旦那を描いた作品である。いうまでもなく、世間を笑わせようというのは、江戸の戯作者たちの基本的な姿勢のひとつであり、自らをその後継者に擬している井上にしてみれば、観客を、読者を笑わせることを第一義と心得るのになんの不思議もあるまい。それに、笑いは、明治以降日本の文学では不当に軽視されているものの、本来は、戯曲・小説にとってもっとも正統的で、かつ鋭い社会批評の方法なのである。

だが、むろん、笑いの文学は理屈と計算で出来るものではない。多分に気質がものをいう。精神医学的にいうと、陽気でユーモアに富み、人を笑わせることを好む気質は躁《そう》鬱性《うっせい》の気質である。宮城音弥『日本人の性格』によると、井上の故郷である山形県人には内閉的な分裂性の気質が多いが、それでも秋田、宮城などにくらべると躁鬱性の要素は多いという。これはおそらく、躁鬱質の人間の多い関西との間に船による交通が早くから開けていたためと思われるのだが、そうした穿鑿《せんさく》はともかくとして、この躁鬱性気質が外向性の分裂性気質と複合した場合、笑いに熱中する性格はよけい強烈となるのではあるまいか。

また、生活条件の不利から生じる慢性的な貧困が、住民にユーモアを与えるということも考慮すべきだろう。ゴーゴリ、魯迅、金石範、深沢七郎などの作品に描かれた人物には、共通した残酷なユーモアがある。これは、金達寿が「人はあまり悲しくなると笑い出すものである」といった性質のユーモアであり、苛酷な自然と権力の搾取に虐げられ続けてきた東北の農民がこの種のユーモアをもっていることは、ほとんど笑話を思わせる民話がこの地方にことに多く残存している、などといった証拠をもち出すまでもあるまい。

さらにまた、こうした一般的な条件に井上の個人的な条件が加わる。すなわち、早くから他人の中で苦労すると、相手に気をつかい、自らを卑下してまで相手のごきげんをとり結ぶという姿勢は、第二の天性とでもいっていいほど身についてしまうものである。そして、こういう立場におかれた人間にとっては、自分を極端に卑小化し、滑稽化してみせることは、実は、優越感の裏返しなのであり、彼がこれを誇張すればするほど、優越感の満足度も大きくなるという利点もある。平たくいうと、相手に自分をバカと思わせるのに成功したということは、相手が自分よりバカになったということなのだ。

以上、井上の文学の特色である笑いについて縷々《るる》述べたててみたわけだが、実をいうと、この作品集『四十一番の少年』にはあまりそぐわない解説であったかもしれない。というのは、この作品集では井上の特色である笑いはほとんど影をひそめてしまっているからである。この変化をどう説明すべきか。少年時代の辛い体験は笑えない、といった単純な事情ではあるまい。井上はすでに、『モッキンポット師の後始末』によって自分の大学生時代のどん底生活を徹底的にふざけのめしているのである。第一、辛ければ辛いほど、悲しければ悲しいほど笑いのめすのが、戯作者というものではなかったか。してみるとやはり、作風の変化とみなすべきであるのか。それなら、これははなはだ画期的な作品集ということになるわけだ。

むろん、こんな提灯持ちめいた口上は信用していただかなくとも結構である。が、この作品集で井上は泣かせもできる作家だということをはじめて明らかにした、とだけははっきりいい得るであろう。たとえば、「あくる朝の蟬」(別冊文藝春秋/一九七三年・一二五号)に、祖母と、「ぼく」のこんな会話が出て来る。この「解説」のほうを先に読む読者のために説明しておくと、孤児院に入っている「ぼく」と弟は、義絶状態になっている亡父の実家に夏休みで泊りに来て、祖母に当分ここに置いてくれと頼みこむ場面である。

「孤児院はいやなのかね、やはり」

「あそこに居るしかないと思えばちっともいやなところじゃないよ。先生もよくしてくれるし、学校へも行けるし、友だちもいるしね」

「そりゃそうだねぇ。文句を言ったら罰が当るものねぇ」

「で、でも、他に行くあてが少しでもあったら一秒でも我慢できるようなところでもないんだ。ばっちゃ、考えといてください。お願いします」

「他に行くあてが少しでもあったら一秒でも我慢できるようなところでもないんだ」という文句が、実に泣かせである。だが、夜寐《ね》ながら、家をついでいる叔父の反対を聞いてしまうと、兄弟はやはり孤児院に戻ったほうがいいと考え、「他に行くあてがないとわかれば、あそこはいいところなんだ」と呟くのである。先の「あてが少しでもあったら」云々に対比させた効果的な泣かせであることはいうまでもあるまい。

「汚点《しみ》」（別冊文藝春秋／一九七二年・一二〇号）は、孤児院にいる中学生の兄が、母親の借金の人質となってラーメン屋で虐待されている幼い弟の身を気づかい、ついに引取りにゆく話だから、泣かせの要素はさらに多い。次にあげるのは、母親がまだラーメン屋に弟と住込みで働いていたころ、兄が孤児院から遊びにいったときの場面である。

「ぼくも孤児院に行きたいな」

「ばかいえ。母さんと一緒が一番いいぞ」

「そうかなぁ……」

弟はいっぺんに二十も三十も年をとってしまったように、分別臭い調子でいった。それからぼくらは映画へ行くために、店を通って表へ出た。店では、男たちが母の腰や肩に手を回してはやくも飲んだくれていた。ぼくはそのときようやく、弟が「そうかなぁ」といっていたことの意味に思い当って、心に錐を刺されたような痛みを感じた。

こういった場面が少なくないので、この作品は全体としておそろしく暗い印象を与えているのである。それに「あまり元気ではありません。ラーメン屋のおじさんが、母ちゃんの悪口をいいました。それでぼくは、おじさんにバカといいました。おじさんは、ぼくをぶちました。……つらいけどがまんします。さようなら」といった幼いこどもの手紙文には、気持を表現できないため、平然と窮状を報告しているといった残酷さがあるから、効果的に使われると余計泣かせになるのである。

だが、「四十一番の少年」(別冊文藝春秋／一九七二年・一二二号)になると、これはもう暗さというよりは、悪夢に似たおそろしさといったほうが当っているだろう。孤児という逆境から這い上って、世間並みのささやかな幸福をつかもうとする少年の夢が、現実には、幼児の誘拐・殺害という短絡現象となって終るという悲劇は、お定まりの深刻調で書いたのならそう目新しくは感じられなかったろう。が、井上はこれを、目を少年の立場において書ききっているのである。つまり、少年には事態の本当の深刻さ、残酷さがわからないから、どこまでが本気で、どこまでが遊びなのかわからないところがある。たとえば、「主の平安！　ぼくには家庭がありません。だから、余計に家庭に憧れるのです。ぼくは、聖ヨゼフのようになりたいと思っています……そんなぼくらの間に生れてくる子どもは、きっとキリストのような素晴しい赤ん坊ではないでしょうか」といったラブレターを、本気と思うおとながいるだろうか。だが、この求愛を冷たく退けられた少年は、夢を実現させようとあせって、破滅の道を突走るのである。このようにはっきり見境のつかないおそろしさの効果を、井上はここで十二分に利用しているように思われるのだ。

それにしても、この少年の夢のもつ切実さは、ただごとではない。おそらくは、養護施設時代の作者自身の夢であったのではないか、と思われるほど実感がこもっていて、こうジーンとくるのを読まされると、「笑いのない井上ひさしなんて」などという先入観は引込めざるを得なくなるのである。

（文芸評論家　一九七四年刊文庫解説を再録）

解説——天性の物語作者

長部日出雄

読者の多くは、読む前からこの作品集を、本年（二〇一〇年）四月九日深く惜しまれつつ他界した作者の「自伝的小説」として手に取られることであろう。あるいは読後にそれが実感としていっそう深まるかもしれない。

確かにそうには違いないのだが、しかし、井上ひさしというのは稀代の物語作者であることを忘れてはいけない。

これは稀有の「物語作者」がどのようにして誕生したか……その恐るべき辛酸の過程をつぶさに描いた「物語」なのである。

収録された作品は、一九七二年から翌年にかけて、季刊（当時）の「別冊文藝春秋」に「汚点《しみ》」「四十一番の少年」「あくる朝の蟬」の順序で発表された。

三篇の奥底に隠された秘密を解き明かす共通のキーワードは「嘘」だ。

発表順に「汚点」から見ていこう。

冒頭に紹介されるのは、「元気ですから安心してください」という書き出しに始まる弟からの葉書で、受け取った「ぼく」の目にはこう映る。

汚点《しみ》さえなければ、それはいつも通りの葉書だった。

零《こぼ》れ落ちたラーメンの汁か、垂れ落ちたレバー煠《いた》めの汁か、それはむろん分らなかったが、淡い黄褐色の汚点を数個ばら蒔《ま》かれた葉書は、はじめは南太平洋地図のように見えた。オーストラリア大陸そっくりの大きな汚点の上方に、ソロモン諸島やサモア諸島と見合ういくつかの小さな点々。しばらく見つめていると、出し抜けに南太平洋地図は大小の黄信号の群れに変り、「おまえの弟になにか起ろうとしているぞ、辛いことが起ろうとしているぞ」と、ぼくに警告を発しはじめた。

辛いとか苦しいとか悲しいとか……そういった直接的な言葉の表現は、でき得るかぎり抑制し、かわりに間接的な比喩を大袈裟なまでに誇張していくと、汚点《しみ》で描かれた南太平洋地図の向こうに、百万言を費やしても語りきれないほどの――弟の辛さや苦しみや悲しみが克明に見えてくる。

井上文学独特の対位法が、すこぶる鮮やかに発揮された一節だ。

夫を失ってから、旅回りの浪曲師に全財産を騙し取られて、東北のあちこちを転々とした後、岩手県東海岸の港町で慣れない屋台の飲み屋を始めてひとり悪戦苦闘している母親と離れ離れになって、弟は身売り同然に預けられた岩手県南部の小都市のラーメン屋康楽でこき使われており、中学三年の「ぼく」は、それ以前から仙台市郊外のカトリック修道院に付属する孤児院に収容されて、図体の大きい乱暴者の高校生船橋とその仲間たちによる――次のようないじめに遭っていた。

進駐軍（米軍）の将校から孤児院に寄贈された高価なコード・ハーモニカが忽然と消え失せ、船橋たちの進言で収容児童全員のベッドとロッカーが調べられると、それは「ぼく」のベッドのマットレスの中から発見される。

また果物屋の娘に宛てた偽のラブレターの書き手に仕立て上げられ、さらにボクシングの試合を装った殴り合いで、船橋に何度も気を失うまで殴り倒される。

だが、船橋たちの企みに気づきはじめていたダニエル院長に、

「たしかに、あれは試合だったんですね？」

と問われると、

「……そうです」

と答える。

加害者の嘘に対抗して、自分の身を守ってくれるものは、やはり嘘《フィクション》でしかないことを、「ぼく」は悟ったのである。

「四十一番の少年」で、作者の回想の舞台となるS市郊外の「ナザレト・ホーム」では、収容児童の全員に、洗濯番号（洗濯に出した自分の下着を識別するために印《しる》す番号）が付されていた。

ホームへの収容順につけられた番号は、数の少ない（つまり先に入った）ほうが上位に立つ――院内の序列をも意味している。

題名の四十一番というのは、作者の分身である橋本利雄。そして、影の主人公である松尾昌吉は十五番で、利雄は二十数年まえ、ホームでは抗弁を許されない上位にある昌吉の圧倒的な暴力による恐怖の専制支配下に置かれていた。

利雄を徹底的に隷従させるための昌吉の言動が、いかに苛酷でどれほど恐ろしいものであったかは、幾つかのエピソードを連ねて、読む者を十分に納得させる筆致で描かれる。

影の主人公である少年は、一枚の西洋紙に「松尾昌吉のこれからの履歴書」を、ぎっしりと詳細に書き連ねていた。その要点を抜粋すれば――。

昭和24年8月　S駅で百万円拾う。
昭和25年3月　S大法学部に合格。
　　　5月　牧野浩子嬢と婚約。

昭和29年3月　S大法学部を次席で卒業。
　　　9月　ダートマス大学法学部に編入。
昭和31年7月　ダートマス大学卒業、帰国。
　　　8月　ナザレト・ホーム聖堂にて、浩子嬢と挙式。
昭和32年4月　岳父経営のS新報社へ入社。
昭和35年4月　S新報編集局次長となる。
昭和37年7月　編集局長となる。
昭和40年4月　S新報社長に就任。

これが昌吉の脳裡におもい描かれていた将来の「物語」であった。しかし、すでに作品を読了された方はご承知のように、それはじつに衝撃的で悲劇的な結末を迎える。四十一番の少年利雄は、それまでどうしても抵抗できなかった昌吉に、最後の最後で背を向けて訣別し、ナザレト・ホームを訪ねて来た二十四年後の今では、テレビ局のディレクターになっていた。

そして作者井上ひさしは、想像力の産物である松尾昌吉と、自分の分身である橋本利雄の双方を対象化し、二人の人間関係を小説化することによって、稀代の物語作者となったのである。

いや、なったというよりも、その小説化の手際の鮮やかさからして、もともと天性の物語作者であったというべきなのであろう。

「汚点」の終盤で、兄はダニエル院長に必死に頼み込み、弟をラーメン屋康楽の奴隷的境遇から救出して、孤児院に引き取ってもらうことに成功していた。けれど、そこもむろん子供にとって幸せといえるような環境ではない。

「あくる朝の蟬」は、兄弟がこんどは祖母の家に引き取っては貰えまいか……と、生れ故郷の町へ尋ねに行く話である。

着いた駅を出た直後の情景はこうだ。「ぼくと弟を乗せてきた汽車が背後で発車の汽笛を鳴らした。駅前の桜並木で鳴いていた蟬たちが汽笛に愕《おどろ》いてすこしの間黙り込んだ。汽笛にうながされて、ぼくは並木の下の日蔭を拾いながら歩き始めた」

そして、祖母の家で、夕食のまえに兄弟が味わった束の間の安息は、次のように描かれる。

縁側に腰を下し、足をぶらぶらさせながらぼくと弟はいろんな音を聞いていた。表を通り過ぎて行く馬の蹄《ひづめ》の音、その馬の曳く荷車の鉄輪が小石をきしきしと砕く音、道の向うの川で啼く河鹿の声、軒に揺れる風鈴の可憐な音色、ときおり通り抜けて行く夕風にさやさやと鳴る松の枝、台所で祖母の使う包丁の音、それから、赤松の幹にしがみついてもの悲しく啼くカナカナ。

これらのごく日常的な音が、孤児院では決して味わうことのできない平凡な生活の幸せを、如実に物語るものなのだ。

ここで暮らしたい……という切実な願いが、とうてい実現されそうにないことは、夜の寝床で隣室から聞こえてきた祖母と叔父の会話によって判明する。(父親の弟で、家を継ぐために東京の私大を中退して帰郷した叔父の言い分も、十分な説得力を持つものとして伝えられる)

朝方、孤児院に戻る決意をした「ぼく」は、机上に書き置きをのせ、弟を揺り起こし、裏口から出た庭先で、大きな蟬の鳴き声を聞く。

赤松の幹にしがみついている——透明なハネを持った赤褐色の大蟬。「でかいなあ」と嘆声を発した弟が、捕まえようとしてさらに大声を出そうとした口を、「ぼく」は慌てて塞ぐ。祖母と叔父が目を覚ますのを恐れたからだ。「それからぼくらはエゾ蟬の鳴き声にせきたてられるようにして通用門の方へ歩いて行った」

実家の複雑な事情と、兄弟の現在の境遇を、一匹の蟬に象徴させて、間然するところのない傑作である。

兄弟の心情を、直接的な言葉ではなく、生れ故郷の町の匂いや、家で嗅いだ蚊帳のナフタリンと蚊やりの混った匂いや、前に引いたように種種の自然で日常的な物音で間接的に表現して、まさに哀切極まりない。

そして結末は、それぞれ独立した三本の作品を、全体に一篇の小説として鮮やかに締め括《くく》って、深い余韻を長く残す至妙のラストシーンになっている。

井上ひさしの卓越した才能と力量を表わすには、やはり天性の物語作者というよりほかはない。

（作家）

本書は、一九七四年十一月刊の文春文庫
『四十一番の少年』の新装版です。

文春文庫

四十一番《よんじゅういちばん》の少年《しようねん》

定価はカバーに
表示してあります

2010年12月10日　新装版第1刷
2020年7月10日　第4刷

著　者　井《いの》上《うえ》ひさし
発行者　花田朋子
発行所　株式会社 文藝春秋

東京都千代田区紀尾井町3-23　〒102-8008
TEL 03・3265・1211㈹
文藝春秋ホームページ　http://www.bunshun.co.jp

落丁、乱丁本は、お手数ですが小社製作部宛お送り下さい。送料小社負担でお取替致します。

印刷製本・凸版印刷

Printed in Japan
ISBN978-4-16-711129-8

（　）内は解説者。品切の節はご容赦下さい。

有吉佐和子
青い壺
無名の陶芸家が生んだ青磁の壺が売られ贈られ盗まれ、十余年後に作者と再会した時——。壺が映し出した人間の有為転変を鮮やかに描き出した有吉文学の名作、復刊！　（平松洋子）
あ-3-5

有吉佐和子
ほむら
女犯の咎で寺を追われた僧侶、王昭君の肖像画を描く画家の懊悩。人間普遍の欲望、精神の血しぶき、芸術の極みを鮮やかに描いてみせた名作8編、満を持しての復刊。　（伊吹和子）
あ-3-9

阿佐田哲也
麻雀放浪記1　青春篇
戦後まもなく、上野のドヤ街を舞台に、坊や哲、ドサ健、上州虎、出目徳ら博打打ちが、人生を博打に賭けてイカサマの限りを尽くして闘う「阿佐田哲也麻雀小説」の最高傑作。　（先崎　学）
あ-7-3

阿佐田哲也
麻雀放浪記2　風雲篇
イカサマ麻雀がばれた私こと坊や哲は関西へ逃げた。だが、そこには東京より過激な「ブウ麻雀」のプロ達が待っており、京都の坊主達と博打寺での死闘が繰り広げられた。　（立川談志）
あ-7-4

阿佐田哲也
麻雀放浪記3　激闘篇
右腕を痛めイカサマが出来なくなった私こと坊や哲は新聞社に勤めたが……。戦後の混乱期を乗り越えたイカサマ博打打ちたちの運命は。痛快ピカレスクロマン第三弾！　（小沢昭一）
あ-7-5

阿佐田哲也
麻雀放浪記4　番外篇
黒手袋をはずすと親指以外すべてがツメられている博打打ち、李億春との出会いと、ドサ健との再会を機に堅気の生活から足を洗った私……。麻雀小説の傑作、感動の最終巻！　（柳　美里）
あ-7-6

芥川龍之介
羅《ら》生《しょう》門《もん》　蜘《く》蛛《も》の糸《いと》　杜《と》子《し》春《しゅん》　外十八篇
昭和、平成とあまたの作家が登場したが、この天才を越えた者がいただろうか？　近代知性の極に荒廃を見た作家の、光芒を放つ珠玉集。日本人の心の遺産「現代日本文学館」その二。
あ-29-1

（　）内は解説者。品切の節はご容赦下さい。

有川　浩
三匹のおっさん
還暦くらいでジジイの箱に蹴りこまれてたまるか！　武闘派2名と頭脳派1名のかつての悪ガキが自警団を結成、ご近所に潜む悪を斬る！　痛快活劇シリーズ始動！（児玉　清・中江有里）
あ-60-1

朝倉かすみ
てらさふ
「スーパースターになって」「ここではないどこかに行きたい」ふたりの中学生は、共同作業で史上最年少芥川賞受賞を目指した——。女の子の夢と自意識を描き尽くした野心作。（千野帽子）
あ-61-2

阿部和重
Deluxe Edition
現代文学の最前線を疾走する阿部和重が、9・11から3・11へ至る世界に対峙した12の短篇小説。各篇のタイトルに冠した洋楽ナンバーに乗せ、読者に毒と感動をお届け。（福永　信）
あ-72-1

五木寛之
蒼ざめた馬を見よ
ソ連の作家が書いた体制批判の小説を巡る恐るべき陰謀。直木賞受賞の表題作を初め、「赤い広場の女」「バルカンの星の下に」「夜の斧」など初期の傑作全五篇を収録した短篇集。（山内亮史）
い-1-33

井上　靖
おろしや国酔夢譚
船が難破し、アリューシャン列島に漂着した光太夫ら。厳寒のシベリアを渡り、ロシア皇帝に謁見、十年の月日の後に帰国できたのは、ただのふたりだけ。映画化された傑作。（江藤　淳）
い-2-31

井上ひさし
四十一番の少年
辛い境遇から這い上がろうと焦る少年が恐ろしい事件を招く表題作ほか、養護施設で暮らす子供の切ない夢と残酷な現実が胸に迫る珠玉の三篇。自伝的名作。（百目鬼恭三郎・長部日出雄）
い-3-30

色川武大
怪しい来客簿
日常生活の狭間にかいま見る妖しの世界——独自の感性と性癖、幻想が醸しだす類いなき宇宙を清冽な文体で描きだした、泉鏡花文学賞受賞の世評高き連作短篇集。（長部日出雄）
い-9-4

（　）内は解説者。品切の節はご容赦下さい。

色川武大
離婚
納得ずくで離婚したのに、なぜか元女房のアパートに住み着いてしまって。男と女の不思議な愛と倦怠の世界を、味わい深い筆致とほろ苦いユーモアで描く第79回直木賞受賞作。（尾崎秀樹）
い-9-7

伊集院　静
浅草のおんな
三社祭、ほおずき市、隅田川……。女将の料理と人柄に惚れた常連客でにぎわう浅草の小料理屋「志万田」を舞台に、揺れ動く女心と人々の悲喜交々を細やかな筆致で描く。（道尾秀介）
い-26-20

石田衣良
うつくしい子ども
九歳の少女が殺された。犯人は僕の弟！　なぜ、殺したんだろう。十三歳の弟の心の深部と真実を求め、兄は調査を始める。少年の孤独な闘いと成長を描く感動のミステリー。（村上貴史）
い-47-2

絲山秋子
沖で待つ
同期入社の太っちゃんが死んだ。私は約束を果たすべく、彼の部屋にしのびこむ。恋愛ではない男女の友情と信頼を描く芥川賞受賞の表題作。「勤労感謝の日」ほか一篇を併録。（夏川けい子）
い-62-2

絲山秋子
離陸
矢木沢ダムに出向中の佐藤弘の元へ見知らぬ黒人が訪れる。「女優の行方を探してほしい」。昔の恋人を追って弘の運命は意外な方向へ――。静かな祈りに満ちた傑作長編。（池澤夏樹）
い-62-3

磯﨑憲一郎
往古来今
母親との思い出から三十年前の京都旅行、『吾妻鏡』の領主から郵便配達人まで――空間と時間の限りない広がりを自在に往来する五篇。新境地に挑んだ泉鏡花文学賞受賞作。（金井美恵子）
い-94-1

戌井昭人
俳優・亀岡拓次
亀岡拓次37歳、独身。職業・脇役俳優。趣味、一人酒。行く先々のうらぶれた酒場で、二日酔いの撮影現場で、亀岡は今日も奇跡を呼ぶ。川端賞作家のとびきりキュートな小説集。（山﨑　努）
い-97-1

（　）内は解説者。品切の節はご容赦下さい。

内田春菊
ファザーファッカー
十五歳のとき、私は娼婦だったのだ。売春宿のおかみは私の実母で、ただ一人の客は私の育ての父……養父との関係に苦しむ少女の怒りと哀しみと性を淡々と綴る自伝的小説。（斎藤　学）
う-6-16

江國香織
赤い長靴
二人なのに一人ぼっち。江國マジックが描き尽くす結婚という不思議な風景。何かが起こる予感をはらみつつ、怖いほど美しい十四の物語が展開する。絶品の連作短篇小説集。（青木淳悟）
え-10-1

江國香織・小川洋子・川上弘美・桐野夏生
小池真理子・髙樹のぶ子・髙村　薫・林　真理子
甘い罠
8つの短篇小説集
江國香織、小川洋子、川上弘美、桐野夏生、小池真理子、髙樹のぶ子、髙村薫、林真理子という当代一の作家たちの逸品だけを収めたアンソロジー。とてつもなく甘美で、けっこう怖い。
え-10-2

円城　塔
オブ・ザ・ベースボール
一年に一度、空から人が降ってくる町ファウルズでユニフォームとバットを手にレスキュー・チームの一員となった男。芥川賞作家のデビュー作となった文學界新人賞受賞作。（沼野充義）
え-12-1

円城　塔
プロローグ
わたしは次第に存在していく——語り手と登場人物が話し合い、名前が決められ世界が作られ、プログラムに沿って物語が始まる。知的なたくらみに満ちた著者初の「私小説」。（佐々木　敦）
え-12-2

小川洋子
妊娠カレンダー
姉が出産する病院は、神秘的な器具に満ちた不思議の国……妊娠をきっかけにゆらぐ現実を描く芥川賞受賞作。「妊娠カレンダー」「ドミトリイ」「夕暮れの給食室と雨のプール」。（松村栄子）
お-17-1

小川洋子
やさしい訴え
夫から逃れ、山あいの別荘に隠れ住む「わたし」とチェンバロ作りの男、その女弟子。心地よく、ときに残酷な三人の物語の行き着く先は？　揺らぐ心を描いた傑作小説。（青柳いづみこ）
お-17-2

（　）内は解説者。品切の節はご容赦下さい。

小川洋子
猫を抱いて象と泳ぐ
伝説のチェスプレーヤー、リトル・アリョーヒン。彼はいつしか「盤下の詩人」として奇跡のように美しい棋譜を生み出す。静謐にして愛おしい、宝物のような傑作長篇小説。（山﨑　努）
お-17-3

乙川優三郎
太陽は気を失う
福島の実家を訪れた私はあの日、わずかの差で津波に呑まれていたかも――。震災に遭遇した女性を描く表題作など、ままならぬ人生を直視する人々を切り取った短篇集。（江南亜美子）
お-27-5

荻原　浩
ちょいな人々
「カジュアル・フライデー」に翻弄される課長の悲喜劇を描く表題作ほか、少しおっちょこちょいでも愛すべき、ブームに翻弄される人々がオンパレードの抱腹絶倒の短篇集。（辛酸なめ子）
お-56-1

荻原　浩
ひまわり事件
幼稚園児と老人がタッグを組んで、闘う相手は？　隣接する老人ホーム「ひまわり苑」と「ひまわり幼稚園」の交流を大人の事情が邪魔するが。勇気あふれる熱血幼老物語！（西上心太）
お-56-2

大島真寿美
あなたの本当の人生は
書けない老作家、代りに書く秘書、その作家に弟子入りした新人。「書くこと」に囚われた三人の女性の奇妙な生活は思わぬ方向に。不思議な熱と光に満ちた前代未聞の傑作。（角田光代）
お-73-1

開高　健
ロマネ・コンティ・一九三五年
六つの短篇小説
酒、食、阿片、釣魚などをテーマに、その豊饒から悲惨までを描きつくした名短篇集は、作家の没後20年を超えて、なお輝きを失わない。川端康成文学賞受賞の「玉、砕ける」他全6篇。（高橋英夫）
か-1-12

川上弘美
真鶴
12年前に夫の礼は、「真鶴」という言葉を日記に残し失踪した。京は母親、一人娘と暮らしを営む。不在の夫に思いを馳せつつ恋人と逢瀬を重ねる京は、東京と真鶴の間を往還する。（三浦雅士）
か-21-6